W9-BXM-148

ECUADOR

en imágenes
ein Land in Bildern
in images

Alois Speck F.

"A mi esposa Paula, compañera amorosa de ayer, hoy y siempre;
a mis tres hijos, Philipp, Nicole y Michelle, que han permitido que el
espíritu se mantenga jovial; a mis padres, que me enseñaron a volar
libremente; a mis hermanos, cómplices de aventuras e ilusiones;
y finalmente a todos mis amigos, que han enriquecido mi vida"

„Gewidmet meiner Frau Paula, deren Liebe mich allezeit begleitet;
meinen drei Kindern Philipp, Nicole und Michelle, die mich stets jung halten;
meinen Eltern, die mich in die Selbstständigkeit führten,
meinen Brüdern, die meine Abenteuer und Träume teilten;
und zum Schluss allen meinen Freunden, die mein Leben bereichert haben"

"To my wife Paula, loving partner of the past, present and future;
to my three children, Philipp, Nicole and Michelle,
who helped me to keep up my spirit;
to my parents who taught me to fly freely;
to my brothers buddies in adventure and illusions;
and finally to all my friends who have enriched my life"

El Ecuador, desde la estratosfera, luce como un papel estrujado, con profundas quebradas y picos enormes de nieves perpetuas.

Aus der Vogelperspektive sieht Ecuador aus wie zerknittertes Papier mit tiefen Schluchten und gewaltigen Gipfeln im ewigen Eis.

From a bird's eye view, Ecuador resembles a creased piece of paper, with profound gorges and enormous summits covered in eternal ice.

DÉMOSLE UN NOMBRE AL GUAGUA: ECUADOR

Muchos lectores se preguntarán el porqué del nombre Ecuador. Éste tiene su origen en la llegada de la Misión Geodésica Francesa hacia el año de 1736. Este grupo, liderado por Carlos María de la Condamine, tenía la misión de investigar la forma del planeta y descifrar si el achatamiento de la Tierra era de origen ecuatorial. En el viejo continente se hablaba de la misión que investigaba en las "tierras del Ecuador", omitiéndose el nombre de Real Audiencia de Quito.
Y es así como en el año de 1751, Condamine publica el libro "Journal du Voyage fait par ordre du Roi a l´Equateur", confirmando el hecho de que en Europa el nombre de Ecuador se encontraba en labios de todos.
En 1824, una ley expedida en Colombia da el nombre de Ecuador a uno de los tres Departamentos del Distrito del Sur. En 1830, al morir el anhelo del libertador Simón Bolívar con la desintegración de la Gran Colombia, el nuevo Estado es llamado Ecuador.

GEBEN WIR DEM KIND EINEN NAMEN: ECUADOR

Manche Leser werden sich fragen, woher der Name Ecuador eigentlich kommt. Alles nahm seinen Anfang mit der Ankunft einer Gruppe von französischen Landvermessern um das Jahr 1736. Die Gruppe, die von Carlos María de la Condamine angeführt wurde, hatte den Auftrag, die Form unseres Planeten zu erforschen und herauszufinden, ob die Ellipsenverformung der Erde seinen Ursprung am Äquator haben könnte. Auf dem alten Kontinent sprach man daher von der Expedition, die in den „Ländern des Äquators" forschte und überging dabei einfach den damaligen Namen des Landes „Königliche Audienz von Quito".
Als im Jahre 1751 Condamine sein Werk „Das Reisetagebuch zum Äquator im Auftrag Seiner Majestät, des Königs" veröffentlichte, bestätigte er, dass sich der Name Ecuador in Europa bereits in aller Munde befand.
Im Jahre 1824 gab ein in Kolumbien verabschiedetes Gesetz einem der drei Verwaltungsbezirke im Süden des Landes den Namen Ecuador und 1830, als der Traum des Befreiers von Südamerika, Simón Bolívar, ganz Südamerika zu einen, sich nicht mehr verwirklichen ließ, benannte man so den neu entstandenen Staat.

LETS NAME THE CHILD

Many readers may ask where the name "Ecuador" comes from. Its origin is based on the arrival of the French Geodetic mission in the year 1736. The objective of this group, headed by Carlos Maria de la Condamine, was to investigate the shape of the planet and to find out if the flattening of the earth was of equatorial origin. In Europe, the mission was referred to as the mission researching the "countries of the Equator", omitting the name "Royal Audience of Quito". In 1751 Condamine published his book "Journal du Voyage fait par order du Roi a l'Equateur", putting the name of "Ecuador" in everyone's mouth in Europe. In 1824, a law passed in Colombia, gave the name "Ecuador" to one of the three districts in the South of the country. When Simon Bolivar's dream of uniting all of South America did not materialize and Great Colombia disintegrated, the new state was named Ecuador in 1830.

Después de que el sol desaparezca en el horizonte de la tarde tropical, el frescor nocturno llegará. Machala (El Oro)

Wenn am Ende eines tropischen Nachmittags die Sonne hinter dem Horizont verschwindet, kehrt die Kühle der Nacht zurück. Machala (El Oro)

After the disappearance of the tropical sun behind the horizon, the chill of the night returns. Machala (El Oro)

Enormes rocas de azufre forman formas geométricas que brillan con el sol ardiente de Galápagos. El Azufral en la Isla Isabela

Riesige Schwefelsteine mit geometrischen Formen erstrahlen in der brennenden Galapagossonne. „El Azufral" auf der Insel Isabela

Enormous geometrically shaped sulfur rocks reflecting in the strong Galapagos sun. „The Azufral" on the island Isabela

La apacible tarde en el río Arajuno (Napo) será pronto envuelta por un mágico y ensordecedor trino de coloridos pájaros.

Dieser ruhige Nachmittag am Fluss Arajuno (Napo) wird bald von lautem Vogelgezwitscher erfüllt.

This serene afternoon at the river Arajuno (Napo) will soon be magically wrapped in the loud whistle of colourful birds.

LA REPÚBLICA DEL ECUADOR

La República del Ecuador está situada al noroeste de América del Sur, tiene una superficie de 252.370 km^2 dividida en 22 provincias y una población de 13,2 millones de habitantes (estimado a julio de 2004).
La fantástica fisonomía geográfica del Ecuador le permite gozar de una inmensa y exuberante biodiversidad, gracias a sus cuatro regiones: Sierra, Costa, Amazonía y las Islas Galápagos. Aparte de su riqueza natural, el Ecuador alberga una impresionante cantidad de grupos étnicos que aún practican tradiciones ancestrales. A pesar de que el idioma principal es el español, la población indígena habla también el quechua. Las comunidades amazónicas hablan 18 lenguajes diferentes.
La característica primordial de la topografía del Ecuador es la gran diferencia de altura en un espacio reducido (entre los 0 y más de 6.000 m.s.n.m.), lo que permite al Ecuador gozar de climas tropicales, templados y hasta de nieves perpetuas. En estos hábitats encontramos toda clase de especies de flora y fauna. Este país ofrece tanta maravilla a cambio de nada.

DIE REPUBLIK ECUADOR

Die Republik Ecuador liegt im Nordwesten des südamerikanischen Kontinents, ihre Fläche von 252.370 km^2 unterteilt sich in 22 Provinzen, in denen nach Schätzung vom Juli 2004 insgesamt 13,2 Millionen Menschen leben.
Aufgrund seiner außergewöhnlichen Geografie erfreut sich Ecuador einer unermesslich üppigen Artenvielfalt. Das Land unterteilt sich in vier verschiedenen Regionen: das Hochland, die Küste, das Amazonasgebiet und die Galapagos-Inseln. Abgesehen jedoch vom natürlichen Reichtum, beherbergt Ecuador ebenfalls eine beeindruckende Anzahl ethnischer Gruppen, die noch immer die Sitten und Bräuche ihrer Vorfahren praktizieren. Obwohl Spanisch die offizielle Landessprache darstellt, bewahren die Ureinwohner ebenfalls ihre traditionelle Sprache, das Quechua. Dabei werden aber von den verschiedenen in der Amazonasregion lebenden Stämmen noch 18 weitere Sprachen gesprochen. Die Besonderheit der ecuadorianischen Topographie liegt im großen Höhenunterschied innerhalb eines begrenzten Raumes (zwischen 0 und 6000 m ü. M.). Demnach unterteilt sich Ecuador in verschiedene Klimazonen, vom tropischen über das gemäßigte Klima bis hin zum ewigen Eis. In diesen unterschiedlichen Regionen trifft man auf unzählige Arten der Tier- und Pflanzenwelt, was Ecuador zu einem Land voller Naturwunder macht.

THE REPUBLIC OF THE ECUADOR

The Republic of the Ecuador is located in the northwest of the South American continent and covers a surface of 252.370 km^2 with a population of 13,2 million inhabitants (estimation of July 2004). The fantastic geographical physiognomy of Ecuador allows immense and exuberant biodiversity. The country is split into four geographical regions: the highlands, the coastal lowlands, the Amazonian basin and the Galapagos Islands. Ecuador has 22 provinces. Aside from its natural wealth, Ecuador harbors an impressive quantity of ethnic groups that still practice ancient traditions. The main language is Spanish, but the native population also speaks Quechua. In the Amazonian basin a further 18 languages are spoken by different tribes. The fundamental characteristic of Ecuador's topography is the great difference in altitude within short distances (between sea level and higher than 6.000 m. a.s.l.). This circumstance allows temperate and tropical climates as well as even perpetual snow in some places, which makes Ecuador a country full of incredible marvels.

La hermosa fachada de la Catedral de Riobamba en el parque Maldonado fue renovada, piedra por piedra, después del terremoto de 1797.

Die prächtige Fassade der Kathedrale von Riobamba im Park Maldonado wurde nach dem Erdbeben von 1797 Stein für Stein wieder aufgebaut.

After the earthquake of 1797, the beautiful facade of the Cathedral of Riobamba in the Maldonado park was rebuilt stone by stone.

La avenida de los volcanes es el resultado de una lucha "ardiente" dentro de la Tierra.

Die „Straße der Vulkane" entstand durch einen „glühenden" Kampf im Innern der Erde.

The avenue of the volcanoes results from the internal struggle inside the Earth.

Las mansas aguas del río Tomebamba separan el pintoresco Centro Histórico de Cuenca del moderno casco comercial.

Das dahinplätschernde Wasser des Flusses Tomebamba grenzt die Altstadt vom modernen Teil Cuencas ab.

The tame waters of the Tomebamba river separate the picturesque historical center of Cuenca from the modern commercial part.

Las hermosas haciendas en los Andes ecuatorianos son vestigios indelebles de la arquitectura colonial. Hacienda Pinsaquí (Imbabura)

Die schönen „Haciendas" (Landgüter) im ecuadorianischen Hochland sind steinerne Zeugen der kolonialen Architektur. Pinsaquí (Imbabura)

Beautiful farmhouses (haciendas) in the Ecuadorian Andes are remaining traces of Spanish architecture. Pinsaquí (Imbabura)

La laguna Limpiopungo sólo es un pequeño remanente de una gran laguna que se formó debido al deshielo del volcán Cotopaxi.

Was man heute noch vom Limpiopungosee sieht, ist nur das Überbleibsel einer großen Lagune, die sich durch das Schmelzwasser des Vulkans Cotopaxi gebildet hatte.

Limpiopungo lagoon is just a small remnant of a huge lagoon that was created by the melting waters of the Cotopaxi volcano.

LA BIODIVERSIDAD DEL ECUADOR

La biodiversidad del Ecuador es única en el mundo. A pesar de contar únicamente con el 0,17% de la superficie mundial, está catalogado como uno de los 17 países más biodiversos del planeta y el primero con la mayor biodiversidad de vertebrados terrestres por área en el mundo. Las razones para esta admirable biodiversidad son, por un lado, el posicionamiento geográfico en el Trópico de Cáncer, la región más caliente de nuestro planeta. Por otro lado, está la existencia de la cordillera de los Andes, que divide al país de norte a sur. Finalmente, nos encontramos con dos fenómenos oceánicos distintos: la corriente cálida y húmeda de "El Niño" y la fría y seca de "Humboldt", que convergen en estas latitudes. Cada año se descubren nuevas especies, especialmente invertebrados y microorganismos. La creación de parques nacionales, reservas biológicas y ecológicas, áreas protegidas y zonas intangibles a lo largo de todo el territorio nacional posibilita la protección de innumerables especies animales, de la gran riqueza de flora en regiones remotas y de los grupos étnicos que viven en ellas. La UNESCO declaró a dos parques nacionales "Patrimonio Natural de la Humanidad": las Islas Galápagos en 1978 y el Sangay en 1983.

DIE ARTENVIELFALT ECUADORS

Die Artenvielfalt Ecuadors ist weltweit einzigartig. Obwohl das Land nur 0,17% der Erdoberfläche einnimmt, zählt es zu den 17 Ländern mit der größten Artenvielfalt auf der Erde. Es liegt sogar an erster Stelle, wenn es um die größte Vielfalt von auf der Erde lebenden Wirbeltieren in einem bestimmten Gebiet geht.
Die Gründe für die beeindruckende Anzahl von verschiedenen Tier- und Pflanzenarten sind vielseitig. Einerseits liegt es an der außergewöhnlichen geografischen Lage am Wendekreis des Krebses, der heißesten Region der Erde, andererseits an der Existenz der Andenkordillere, die das Land vom Norden bis zum Süden durchkreuzt. Auch trifft man in Ecuador auf zweierlei Meeresphänomene, auf den warmen Äquatorialstrom „El Niño", der warme und feuchte Meeresluft mit sich bringt, und auf den kalten Humboldtstrom, der kalte und trockene Winde nach sich zieht. Beide entgegengesetzte Meeresströme treffen hier aufeinander.
Jedes Jahr werden in Ecuador neue Spezies, vor allem wirbellose Tiere und Mikroorganismen, entdeckt. Durch die Gründung von Nationalparks, von öko-biologischen Reservaten und Gebieten, in die Außenstehende keinen Zutritt haben, will man die vielen Tierarten schützen und den Pflanzenreichtum in den entlegenen Regionen bewahren. Nicht zu vergessen sind die vielen ethnischen Gruppen, die dort leben.
Die UNESCO erklärte zwei Nationalparks, die Galapagos-Inseln (1978) und den Nationalpark Sangay (1983), zum „Weltnaturerbe".

THE BIODIVERSITY OF ECUADOR

Ecuador's biodiversity is unique in the world. Despite the fact that Ecuador occupies only 0.17% of the earth's surface, it belongs to the top 17 countries with the highest biodiversity on the planet and has the greatest biodiversity of terrestrial vertebrates by area of the world. The reasons for this admirable biodiversity are on the one hand its geographical location on the Tropic of Cancer, the hottest area of our planet and on the other hand the existence of the Andean mountain range, which splits the country from north to south. Finally, the humid and hot current "El Niño" and the cold and dry "Humboldt" current, two different oceanic phenomena which converge in this latitude. Each year new species are discovered, especially invertebrates and microorganisms. The creation of national parks, ecological and biological reserves, protected areas and intangible zones all over the national territory allows the protection of innumerable animal species, as well as a great wealth of flora in remote regions where ethnic groups live. The UNESCO declared two of the national parks as "Natural Patrimony of Humanity" (the Galapagos Islands, 1978 and Sangay, 1983).

El bosque húmedo nublado de Mindo (Pichincha) es considerado un santuario de aves.

Der feuchte Nebelwald von Mindo ist als Vogelparadies Ecuadors bekannt.

The humid cloud forest of Mindo is known as a bird paradise of Ecuador.

¿Quién creería que estos pequeños y aparentemente indefensos anfibios de coloreadas pieles han generado estrategias para sobrevivir y han creado un verdadero arsenal de armas químicas, como sustancias antibióticas y toxinas letales?

Wer hätte gedacht, dass diese kleinen und anscheinend wehrlosen Amphibien Überlebensstrategien entwickelt haben, indem sie ein Arsenal an chemischen Waffen mit antibiotischen und tödlich wirkenden Eigenschaften produzieren.

Who would believe that these small and apparently defenseless amphibians of colored skins have developed strategies to survive, producing a wide arsenal of chemical weapons, as antibiotic substances and deadly toxins?

¿Será casualidad que esta mariposa haya escogido una flor con colores similares a su vestuario para saciar su sed y confundirse con el follaje de la selva? La naturaleza es sabia y tiene la respuesta.

Ob es wohl Zufall ist, dass dieser Schmetterling eine Blüte mit den gleichen Farben seiner Flügel gefunden hat, um sich zu tarnen, während er seinen Durst löscht? Die Natur ist weise, sie kennt die Antwort.

Is it coincidence that this butterfly has found a flower with the same colors as its wings, while it is hiding among the foliage quenching its thirst? Nature is wise enough to have the answer.

Este colibrí descansa antes de volar nuevamente para buscar el néctar deseado. Mindo (Pichincha)

Dieser Kolibri ruht sich aus, bevor er wieder auf Nektarsuche geht. Mindo (Pichincha)

This humming bird is resting before it resumes his search for nectar. Mindo (Pichincha)

LA SIERRA

La Sierra ecuatoriana, o también llamada Región Interandina, tiene su origen en la formación de los Andes, que es explicada mediante la teoría del movimiento de los continentes durante el período Cretáceo. La corteza sudamericana, que se desplaza en sentido este-oeste, choca contra la placa tectónica submarina de Nazca, que se desplaza en sentido contrario. En el punto de contacto (llamado también de subducción), la placa de Nazca se introduce por debajo de la placa sudamericana, resultando una deformación y compresión de una enorme cantidad de rocas que forman la cordillera de los Andes.
En Ecuador se originaron, por estos movimientos, una gran cantidad de fallas geológicas y elevaciones que formaron las cordilleras Occidental y Oriental. Entre estas dos cordilleras, y como depresión, se encuentra el Callejón Interandino, nombre dado por Teodoro Wolf en 1892 y en el cual se asientan la mayoría de las ciudades principales del Ecuador.
La cordillera andina ecuatoriana mide aproximadamente 800 kilómetros de largo y 100 kilómetros de ancho, su máxima altura corresponde al Chimborazo, con 6.310 m.s.n.m., formado por tres volcanes unidos, de los cuales dos se apagaron hace muchos milenios. En sus faldas se observan innumerables campos cultivados, como enormes parches multicolores, producto del arduo trabajo agrícola de las familias indígenas.
En tiempos remotos los glaciares bajaban hasta los 3.000 metros. Con el calentamiento global y la depredación del hábitat del hombre, los glaciares han retrocedido como en el resto del mundo. Por lo general, estos glaciares se los encuentra hoy por encima de los 5.000 metros.

DAS HOCHLAND

Das ecuadorianische Hochland, auch interandine Region genannt, entstand mit der Bildung der Anden. Gemäß der Kontinentaldrift-Theorie stößt die sich in Richtung Ost-West verschiebende südamerikanische Erdplatte während der Kreidezeit gegen die tektonische Meeresplatte von Nazca, die sich in die entgegengesetzte Richtung bewegt. Am Berührungspunkt, auch Subtuktionszone genannt, schiebt sich die Platte von Nazca unter die südamerikanische. Dies führt zur Verformung und Kompression von enormen Gesteinsmassen, die schließlich die Anden bilden. Darauf zurückzuführen sind auch die vielen geologischen Verwerfungen und Anhöhen, die wiederum die westliche und östliche Gebirgskette bilden. Zwischen diesen beiden Kordilleren erstreckt sich der „Interandine Hohlweg", eine Senke, von Theodor Wolf im Jahre 1892 so genannt, in der sich die meisten großen Städte Ecuadors befinden.
Die Andengebirgskette Ecuadors erstreckt sich über ungefähr 800 km Länge und 100 km Breite. Den höchsten Punkt bildet der Chimborazo mit 6.310 m ü. M., der aus drei zusammengewachsenen Vulkanen besteht, von denen zwei schon vor vielen Jahrtausenden erloschen sind. In seinen Seitentälern finden sich zahllose bebaute Felder, die als große bunte Flecken in der Landschaft Zeugnis abgeben von der mühevollen Landarbeit der Indio-Familien.
In der Vergangenheit reichten die Gletscher bis auf 3000 m hinunter. Mit der globalen Erderwärmung und durch den Raubbau des Menschen an der Natur haben sich die Gletscher – wie überall auf der Welt – auf Höhen von über 5000 m zurückgezogen.

THE HIGHLAND

The Ecuadorian highlands, also called "Interandean region" has its origin in the formation of the Andes. According to the theory of the movement of the continents during the Cretaceous period, the South American continental plate moves east-west and collides with the submarine oceanic Nazca plate, which moves in opposite direction. Where the plates touch (subduction zone) the Nazca plate slips underneath the South American one causing deformation and compression and the formation of an enormous rocks, which today shape the Andean mountain range.
These movements created a large quantity of geological faults and elevations, which shaped the Western and Eastern mountain range of Ecuador. Between these two mountain ranges is a depression, called the "Interandean Valley", a name given by Teodoro Wolf in 1892 and this is where the majority of cities in Ecuador are located. The Ecuadorian Andean mountain range measures approximately 800 kilometers in length and some 100 kilometers in width. The highest volcano is the Chimborazo with an altitude of 6.310m, it is composed of three united volcanoes of which two have been extinct for a few million years. In their foothills countless cultivated fields can be seen as enormous multicolored patches, a product of tough agricultural work on behalf of native families. In ancient times the glaciers descended to 3.000 meters above sea level. With global warming and the spoiling of the environment by man the glaciers decreased in size the same as in other glacier parts of the world. Today, these glaciers are found generally above 5.000 meters above sea level.

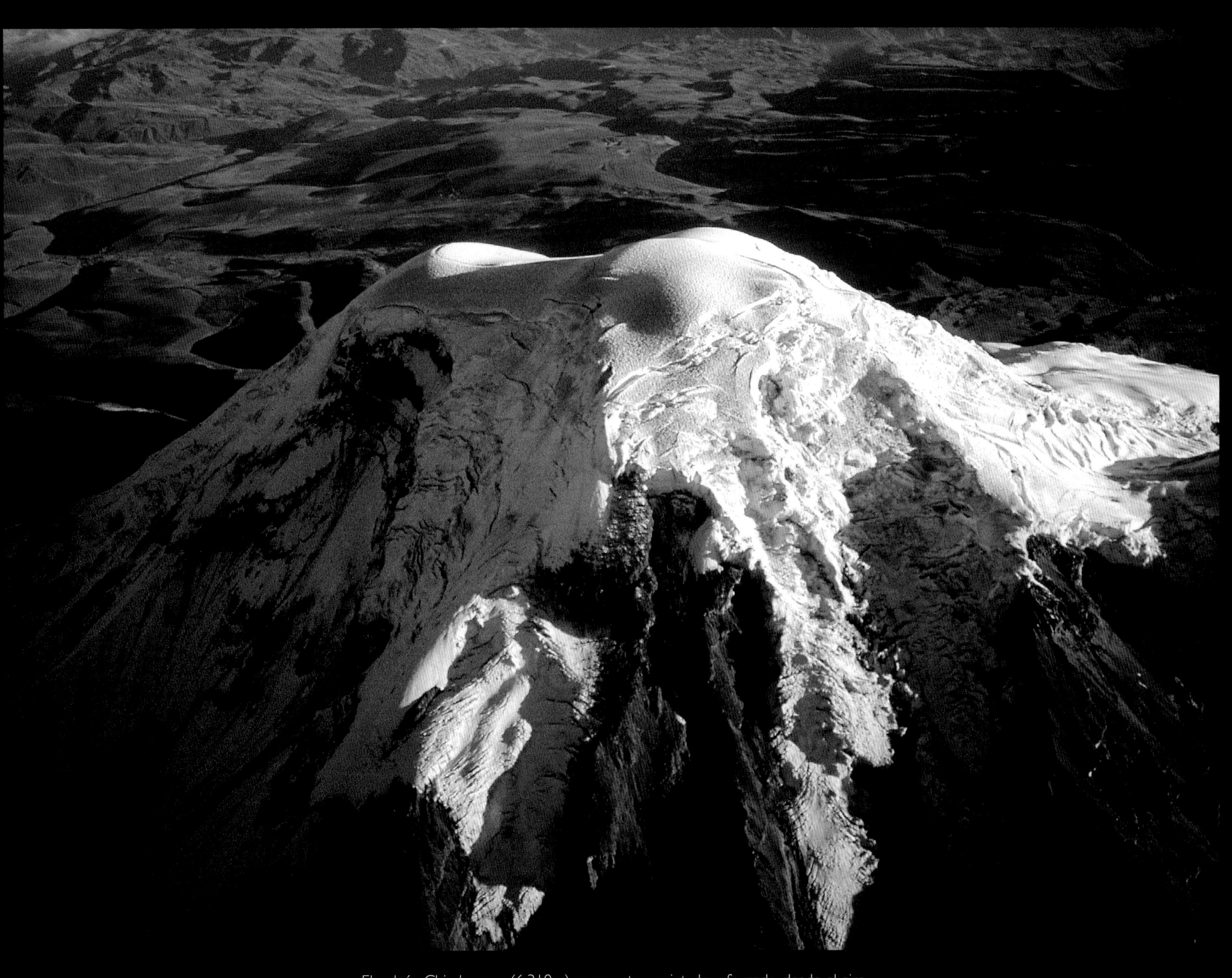

El volcán Chimborazo (6.310m) se muestra agrietado y fisurado desde el aire.

Der Vulkan Chimborazo (6.310m) zeigt seine Gletscherrisse und -spalten aus der Luft.

The volcano Chimborazo (6.310m) demonstrates from the air its fissured and breaking glacier.

El colosal Cotopaxi (5.897m) con su huella distintiva: la piedra Yanasacha.
Der gewaltige Vulkan Cotopaxi (5.897 m) mit seinem unverwechselbaren Kennzeichen: die schneefreie Felswand Yanasacha
The colossal Cotopaxi (5.897m) with its unequivocal fingerprint: the snow-free Yanasacha wall.

Estas montañas son los últimos obstáculos para llegar a la Amazonía.
Diese Berge sind die letzten Hürden, um in das Amazonasbecken zu gelangen.
These mountains are the last hurdles before reaching the Amazon basin.

Este es indudablemente un cuadro representativo de los páramos del Chimborazo.
Ein sicher typisches Bild für das Hochland beim Chimborazo.
Undoubtedly a typical sight of the highlands near Chimborazo.

El volcán Imbabura (4.560m) se levanta majestuoso sobre el lago de San Pablo y muestra los retazos de las chacras recién labradas con la yunta.
Der Vulkan Imbabura (4.560m) erhebt sich majestätisch über dem See San Pablo und zeigt seinen Flickenteppich aus frischbestellten Feldern.
The Imbabura volcano (4.560m) rises above the lake of San Pablo and freshly worked fields.

Como caminantes errantes, los niños de las comunas alejadas son verdaderos atletas. Recorren senderos y chaquiñanes no solo para ir a la escuelita, sino también para ayudar a traer la hierbita para los cuyes y los conejos.

Die Kinder der abgelegenen Komunen sind kleine Weltmeister im Laufen, nicht nur, um die Schule zu besuchen, sondern auch, um die Gräser für die Meerschweinchen und Hasen zu sammeln.

Children from remote villages are true world champions in walking, not only when going to school but also when searching for grass for their guinea pigs and rabbits.

Agarradas fuertemente por cabuyas, las ovejas aún no conocen a sus posibles nuevos dueños.

Diese mit Hanfseilen festangebundenen Schafe kennen noch nicht ihre neuen Besitzer.

These tied up sheep still don't know their new owners.

En el colorido mercado de Gualaceo (Azuay), las amas de casa encuentran surtido y variedad a precio módico.

Auf dem farbenfrohen Obst- und Gemüsemarkt von Gualaceo (Azuay) finden die Hausfrauen eine reiche Auswahl zu niedrigen Preisen.

Housewives find a great selection of fruit and vegetables in the colorful market of Gualaceo (Azuay).

Una innumerable fila de sombreros de paja toquilla se seca al sol en uno de los talleres de Cuenca (Azuay).

Eine unendliche Menge an „Panama-Hüten" wird in einer Werkstatt von Cuenca (Azuay) an der Sonne getrocknet.

Innumerable „Panama" hats drying in the sun in one of the workshops in Cuenca (Azuay).

Galápagos
Marchena 343 m
Wolf 1646 m
Darwin 1280 m
Santiago 1200 m
La Cumbre 1463 m
Alcedo 1097 m
Sierra Negra 1280 m
Cerro Azul 1689 m
Cerro Negro 4465 m
Volcán Chiles 4764 m
Chalpatán 3405 m
Potrerillos 3810 m
Tulcán
Chiltazón 3967 m
Iguán 3840 m
Azufral 3635 m
Soche 3955 m
Pilavo
Yanaurcu 4535 m
Huangillaro 3993 m
Pulumbura 3919 m
Mangus 3050 m
Cotacachi 4939 m
Ibarra
Cuicocha 3054 m
Imbabura 4560 m
Cubilche 3802 m
Cushnirumi 3713 m
Cusín 3998 m
Fuya Fuya 4263 m
Pululahua 3356 m
Mojanda 3779 m
Cayambe 5790 m
Reventador 3485 m
Casitagua 3515 m
Pambamarca 4075 m
Rucu Pichincha 4675 m
Guagua Pichincha 4794 m
Puntas 4452 m
Quito
Pan de Azúcar 3600 m
Ilaló 3185 m
Antisana 5704 m
Atacazo 4457 m
Sumaco 3900 m
Pasochoa 4199 m
Corazón 4786 m
Sincholagua 4899 m
Santa Cruz 3945 m
Rumiñahui 4712 m
Iliniza 5263 m
Cotopaxi 5897 m
Quilindaña 4878 m
Quilotoa 3914 m
Latacunga
Tena
Chinibano 4191 m
Putzalagua 3512 m
Sagoatoa 4153 m
Ambato
Puñalica 3988 m
Carihuayrazo 5020 m
Huisla 3762 m
Chimborazo 6310 m
Tungurahua 5016 m
Puyo
Igualata 4430 m
Guaranda
Riobamba
Altar 5319 m
Sangay 5230 m
Macas
Colombia
Perú
El Ecuador se halla en el "Cinturón de Fuego del Pacífico" con cincuenta y cinco volcanes diseminados en su territorio.
Ecuador befindet sich auf dem „Feuergürtel des Pazifiks" mit insgesamt 55 Vulkanen, die über das ganze Land verteilt sind.
Ecuador is located in the "Ring of Fire" with at least 55 volcanoes, which are distributed throughout its territory.

VOLCANES FOGOSOS QUE NOS SORPRENDEN ...

La Sierra Norte, que se extiende desde Tulcán hasta Alausí, tiene la mayor cantidad de volcanes activos del Ecuador: el Cotopaxi, el Tungurahua, el Sangay, el Sumaco y el Reventador (con cráteres cónicos) y el Guagua Pichincha, el Quilotoa y el Antisana (con cráteres parcialmente destruidos).
A finales de 1999, dos de estos majestuosos volcanes, el Tungurahua en la provincia de Tungurahua y el Guagua Pichincha en la provincia de Pichincha, despertaron súbitamente de su profundo sueño, casi a la par, ocasionando preocupación en las poblaciones cercanas. La población de Baños tuvo que ser evacuada y sus habitantes pasaron meses plagados de hostilidad y penurias. Sin embargo, lograron regresar unos meses después a sus tierras para promocionar sus bellezas naturales y la majestuosidad de su volcán, importante atracción para todo turista que visita el Ecuador. El volcán Tungurahua no ha dejado de expulsar gases y ceniza desde ese entonces y deleita a propios y extraños con sus constantes emisiones de una neblina gris y nubes densas que, por lo general, lo cubren durante todo el día. Los baneños han aprendido indudablemente a convivir con el volcán y nunca más aceptarán ser evacuados.

ACHTBARE FEUERVULKANE ...

Das nördliche Hochland, welches sich von Tulcán bis Alausí erstreckt, verfügt über die größte Anzahl an aktiven Vulkanen in Ecuador: Hier erheben sich kegelförmige Berggiganten wie der Cotopaxi, der Tungurahua, der Sangay, der Sumaco und der Reventador genauso wie der Guagua Pichincha, der Quilotoa und der Antisana, deren Krater aber zusammengebrochen sind.
Ende 1999 erwachten zwei dieser majestätischen Vulkane, der Tungurahua und der Guagua Pichincha (jeweils in ihren gleichnamigen Provinzen) plötzlich und fast gleichzeitig aus ihrem Tiefschlaf und versetzten die in ihrer Umgebung lebenden Menschen in Angst und Schrecken. Die Bevölkerung des Ortes Baños musste sogar gänzlich evakuiert werden, so dass deren Einwohner monatelang obdachlos waren und Not litten. Einige Monate später jedoch konnten sie zurückkehren und hatten ihren majestätischen Vulkanberg, der eine wichtige Touristenattraktion Ecuadors darstellt, wieder vor Augen. Aber der Tungurahua ist seitdem nicht wieder erloschen, er stößt weiterhin regelmäßig Gase und Asche aus. Er fasziniert damit Einheimische als auch Touristen, die – ganz leidenschaftliche Beobachter dieser Eruptionen - versuchen, durch den grauen Nebel und die dichten Wolkendecken hindurch einen Blick auf dieses herausragende Naturphänomen zu erhalten. Seit seinem letzten Ausbruch haben die Bewohner von Baños gelernt, ihr Leben mit der Existenz dieses Bergriesens zu vereinbaren und werden somit einer weiteren Evakuierung niemals mehr zustimmen.

REMARKABLE FIRE VOLCANOES CAUSE SURPRISE. ....

The Northern highlands, extending from Tulcán to Alausí, have the highest amount of active volcanoes in Ecuador: the Cotopaxi, the Tungurahua, the Sangay, the Sumaco and the Reventador (with conical craters) and the Guagua Pichincha, the Quilotoa and the Antisana (with craters partly destroyed). By the end of 1999 two of these majestic volcanoes, the Tungurahua volcano in the province of Tungurahua and the Guagua Pichincha volcano in the province of Pichincha, awoke all of a sudden, almost as a pair, causing concern to the population that lived in their proximity. The town of Baños had to be evacuated and their inhabitants spent months being plagued by hostility and shortages of any kind. Nevertheless, months later they returned to their homes to promote the natural beauty and the majesty of their volcano which fascinates every tourist that visits Ecuador. The Tungurahua volcano has not stopped expelling gases and ash since then. The either grayish fog or dense clouds that generally cover the mountain during most of the day delights natives and foreigners alike. The "baneños" have undoubtedly learned to live with their volcano and will not accept to be evacuated again.

En el apogeo de la actividad volcánica del Tungurahua en 1999, los ecuatorianos nos volvimos vulcanólogos gracias a la influencia mediática: desayunábamos con ceniza, almorzábamos con gases freáticos y cenábamos con flujos piroclásticos.

Während des Höhepunkts der Vulkanaktivität des Tungurahuas im Jahre 1999 wurden dank der Medien die Ecuadorianer zu Vulkanologen. Wir frühstückten mit Asche, aßen mit freatischen Gasen zu Mittag und mit pyroklastischen Strömen zu Abend.

At the height of the volcanic activity of the Tungurahua volcano in 1999, the Ecuadorians became volcanologists thanks to the media frenzy. We had breakfast with ash, we had lunch with phreatic gases and we had supper with pyroclastic flows.

El volcán Tungurahua (5.016m) ruge... De pronto, piedras incandescentes son expelidas violentamente del interior del volcán formando perfectas parábolas.

Der Vulkan Tungurahua (5.016m) tobt... man hört Gedonner. Aus dem Innern des Vulkans werden plötzlich im hohen Bogen glühende Lavasteine herausgeschleudert.

The Tungurahua volcano (5.016m) is roaring... incandescent lava rocks are ejected violently forming perfect bows.

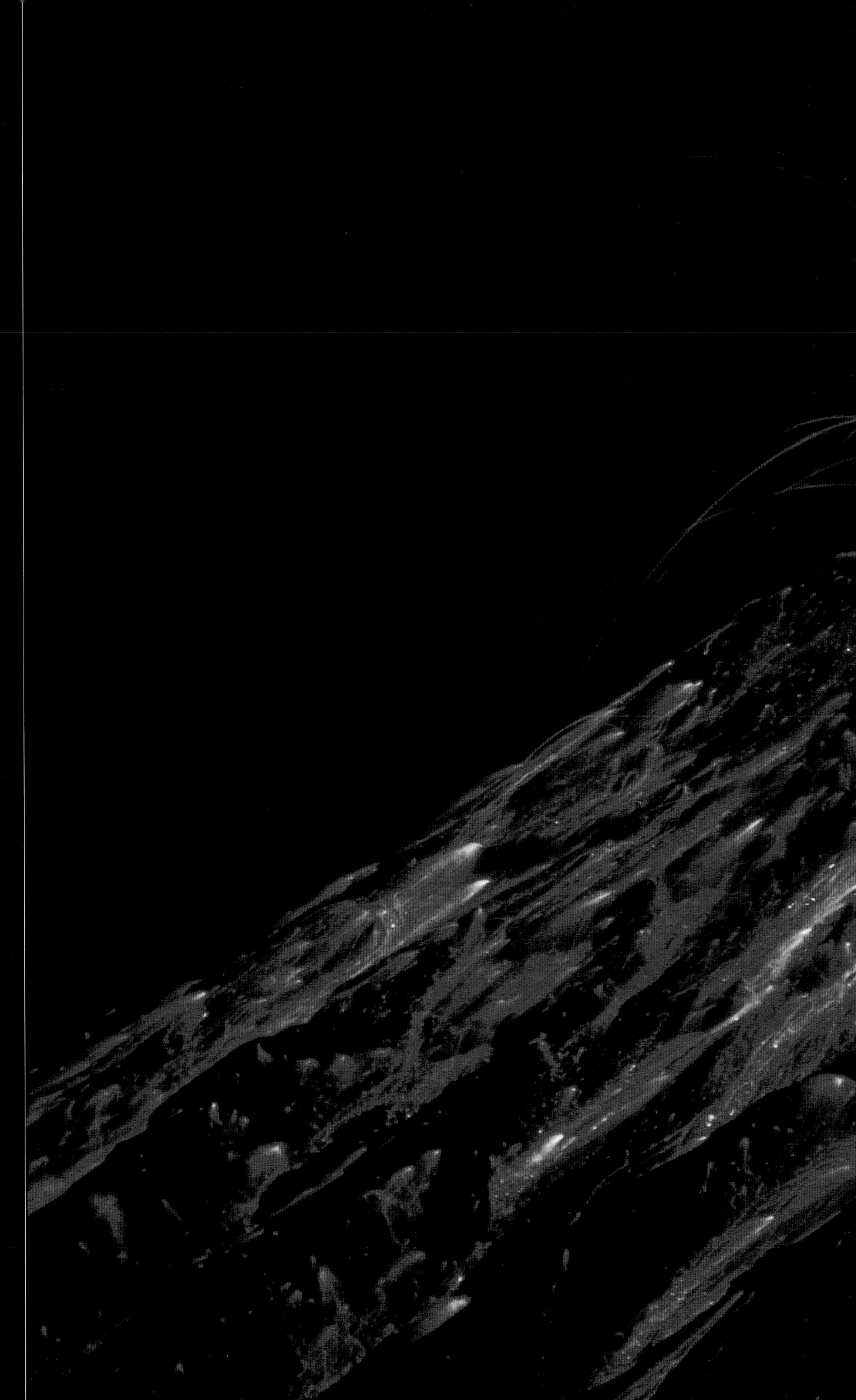

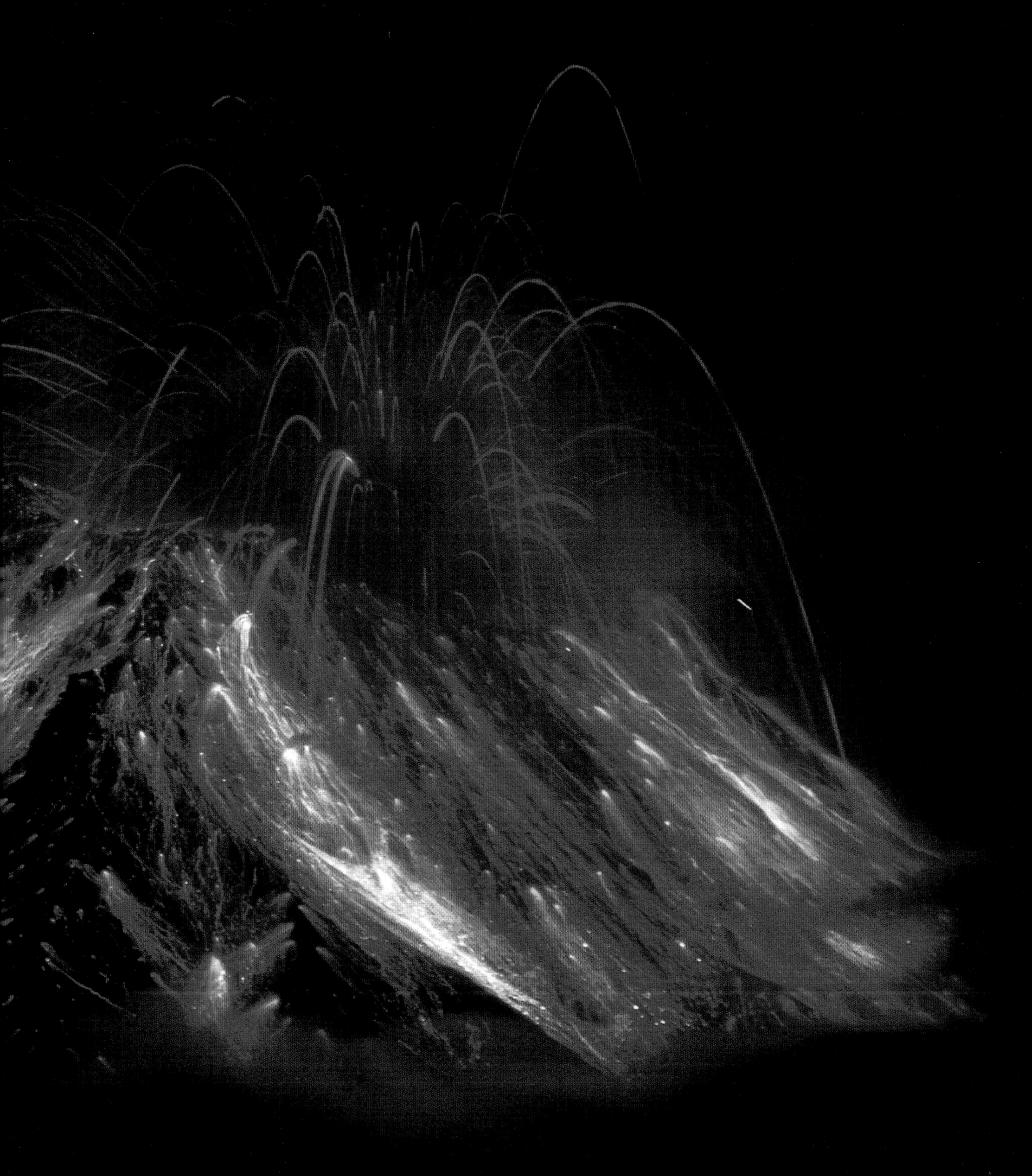

Una estela de piedras incandescentes es expulsada del volcán Tungurahua durante la madrugada.
Ein Schweif von glühenden Steinen wird bei Tagesanbruch vom Vulkan Tungurahua ausgestoßen.
A trace of glowing rocks is expulsed by the volcano Tungurahua at dawn.

Impenetrables bosques con una increíble biodiversidad, profundas quebradas bañadas por la neblina del amanecer y nieve eterna resplandeciendo en el horizonte, resumen el contenido de la declaración del Parque Nacional Sangay como "Patrimonio Natural de la Humanidad", concedida en 1983. El Altar (5.319m)

Undurchdringliche Wälder mit einer ungewöhlichen Vielfalt an Lebewesen, tiefen Schluchten im Morgennebel und ewigem Schnee am Horizont begründen die Ernennung des Nationalparks Sangay als „Weltnaturerbe der Menschheit" im Jahre 1983. El Altar (5.319m)

Impenetrable forests with an incredible biodiversity, deep gorges in the morning fog and eternal snow glowing on the horizon were the reasons for the declaration of the Sangay National Park as "World Nature Heritage of Humanity" in 1983. El Altar (5.319m)

En el verano, los páramos de los Ilinizas se vuelven áridos.
Im Sommer wird das Hochland bei den Ilinizas trocken und karg.
The highlands become dry and barren during the summer months.

La laguna turquesa del volcán Quilotoa es lugar sagrado para los indígenas de la región.
Der türkisfarbene Vulkankratersee Quilotoa ist ein heiliger Ort für die Indios dieser Region.
The turquoise colored volcanic lake Quilotoa is a sacred site to the indigenous people of this region.

A este paisaje eruptivo del volcán Tungurahua sólo le falta un dinosaurio prehistórico.

Geradezu prähistorisch sieht dieser Vulkanausbruch des Tungurahua aus, fehlt nur noch ein Dinosaurier im Bild.

Only a dinosaur is missing to complete a prehistoric picture of the erupting Tungurahua volcano.

El volcán Cayambe visto desde la laguna de San Marcos.
Der Vulkan Cayambe von der Lagune San Marcos aus gesehen.
Cayambe volcano observed from the lake of San Marcos.

Los páramos del volcán Antisana (5.704m) son el viejo hogar de conejos, cóndores, venados y osos de anteojos.
Das Hochland des Vulkans Antisana (5.704m) ist das angestammte Zuhause von Kondoren, Hasen, Rehen und Brillenbären.
The highlands of the Antisana (5.704m) volcano are habitat to condors, rabbits, deer and bears.

El complejo lacustre del Cajas, con más de doscientas lagunas repartidas en 29.000 hectáreas de reserva, es el sitio ideal de los cuencanos para encontrarse con la naturaleza durante los fines de semana.

Die Seenplatte von Cajas umfasst mehr als 200 Seen auf einer Fläche von 29.000 Hektar, der ideale Ort für Cuencas Wochenendausflüger, die hier Ruhe und Erhohlung finden.

The lake complex of Cajas contains more than 200 lagoons, which are distributed throughout an area of more than 29.000 hectares. Here is the perfect site for the "Cuencanos" to relax in nature during their weekends.

El Guagua Pichincha nos demostró en una soleada y azul mañana de octubre de 1999 cuán ínfimo y pequeño es el hombre frente al poderío y la grandeza de la naturaleza. Cuando recién los quiteños se levantaban para iniciar su jornada laboral, este volcán, que dormía desde 1660, pero que ya había mostrado claros signos de reactivación, se despertó y lanzó un enorme hongo hacia la estratosfera. Su forma de hongo era tan perfecta que parecía el producto de una explosión nuclear. Impávidos e incrédulos, los aturdidos quiteños comentaban este fantástico hecho sin atinar qué hacer, mientras que los medios de comunicación informaban al mundo entero sobre esta maravillosa demostración de poder de la naturaleza. Pero, como caprichosa que ésta es, la ceniza no cayó en Quito en grandes cantidades, sino que viajó muchos kilómetros hacia el este antes de depositarse en la amazonía ecuatoriana.
Cabe mencionar la presencia de otros volcanes, como el Reventador, un volcán situado a 80 kilómetros al este de Quito y que sorprendió a la ciudad de Quito en el 2002, cubriéndola de una espesa capa de ceniza. Por otro lado, el volcán Cotopaxi, que desde hace unos pocos años presenta un cuadro de reactivación, ha obligado a iniciar una etapa de información y prevención a todos los niveles de la población. Los entendidos en la materia predicen que, en un futuro muy cercano, podría ocurrir un evento de gran magnitud, que podría sembrar muerte y destrucción entre Guallabamba y Latacunga, como también entre Esmeraldas y Misahuallí. La última gran explosión de este coloso se remonta al año 1877. Finalmente, el Sangay, un poco más al sur, se mantiene en un perenne juego de constantes explosiones horarias.
En la Sierra Central y Sur, que se extiende desde Alausí hasta Zaruma, no existe la presencia de volcanes, pero sí enormes mantos de lava. En esta región existió mucha actividad glacial durante la Edad de Hielo.

WIE KLEIN IST DOCH DER MENSCH VERGLICHEN MIT DER GRÖSSE DER NATUR!

Der Guagua Pichincha bewies im Oktober 1999 an einem strahlend schönen Morgen, wie klein und machtlos doch der Mensch im Vergleich zur übermächtigen Kraft der Natur ist. Als die Einwohner Quitos sich an diesem Morgen gerade für den anbrechenden Arbeitstag zurechtmachten, erwachte urplötzlich der seit 1660 ruhende Vulkan, der allerdings schon zuvor Anzeichen von Aktivität gezeigt hatte, und blies langsam einen riesigen Aschepilz in den Himmel. Er war ästhetisch so vollkommen, wie man das nach einer nuklearen Explosion beobachten kann. Die verblüfften Einwohner Quito zeigten keine Panik, verbreiteten gleich die Nachricht von diesem fantastischen Naturschauspiel und schon erfuhr man über die Medien weltweit, welche Macht die Natur wieder mal über den Menschen hat. Wie launenhaft sie ist, zeigte sich, als der Großteil der Asche nicht über Quito niederging, sondern mit dem Wind viele Dutzend Kilometer Richtung Osten flog und sich schließlich über den ecuadorianischen Urwald legte.
Aber auch ein anderer Vulkan, der 80 km östlich von der Hauptstadt gelegene Reventador, überraschte die Einwohner im Jahr 2002 und bedeckte ganz Quito mit einer Ascheschicht. Und auch der Cotopaxi, der seit einigen Jahren Anzeichen des Erwachens zeigt, zwingt die Menschen, sich der möglichen Gefahr eines Ausbruchs bewusst zu werden, Vorsichtsmaßnahmen zu treffen und ein Informations- und Warnsystem zu entwickeln. Fachleute sagen voraus, dass es in naher Zukunft höchstwahrscheinlich zu einem gewaltigen Ausbruch des Cotopaxi kommen wird, der Tod und Zerstörung in die Gegenden zwischen Guallabamba und Latacunga sowie zwischen Esmeraldas und Misahuallí bringen kann. Die letzte große Explosion dieses Bergriesen geht im Übrigen bereits auf das Jahr 1877 zurück.
Zuletzt bleibt noch der ein bisschen weiter südlich liegende Sangay zu erwähnen, der den Menschen ein ewiges Schauspiel von stündlichen kleinen Explosionen liefert.
Das südliche Hochland, welches sich von Alausí bis Zaruma erstreckt, ist frei von Vulkanen, obwohl sich auch dort dicke Lavaschichten befinden. In dieser Gegend gab es während der Eiszeit große Gletscheraktivitäten.

HOW SMALL IS MAN COMPARED WITH NATURE. ....

On a sunny morning with clear blue skies in October of 1999, the Guagua Pichincha volcano demonstrated how negligible and small man is compared with the power and greatness of nature. The people of Quito, - the "quiteños" - were just getting up to start their busy day when this volcano, which had been dormant since 1660, but had recently shown clear signs of renewed action, erupted and launched an enormous steam mushroom into the stratosphere, which reminded of a nuclear explosion. Fearless and incredulous, the "quiteños" did not know how to react to this fantastic spectacle while the mass media reported this marvelous display of nature's might to the entire world. Miraculously, no ash fell down onto the city of Quito because the eruption contained almost only water vapor, unlike two days earlier when a similar explosion had occurred,
It's worth mentioning other volcanoes such as "El Reventador", a volcano located some 80 kilometers east of Quito, which surprised the country's capital in 2002, covering it with a thick layer of ash; or the Cotopaxi volcano which has been showing recent signs of activity and therefore makes it necessary to keep the population constantly informed. Experts expect an event of great magnitude in the very near future, one that will cause death and destruction between Esmeraldas and Guayllabamba, and between Latacunga and Puyo. 1877 was the last time this colossus created great destruction. Finally, the Sangay volcano, a little further to the south, maintains its endless game of hourly explosions.
In the Southern and Central highlands, which extend from Alausí to Zaruma, there are no volcanoes at all, although the area is covered by an enor-

Coloridos campos atrapan la mirada de todos. Cerca de Alausí

Die bunten Felder in der Nähe von Alausí erfreuen Einheimische und Touristen.

Colorful fields catch the sight of natives and foreigners. Near Alausí

El volcán Reventador despertó en el año 2002, cubriendo a Quito con ceniza y polvo.

Der Ausbruch des Urwaldvulkans Reventador im Jahre 2002 überzog Quito mit einer Asche- und Staubschicht.

The volcano El Reventador erupted in 2002, covering Quito with ash and dust.

En un interminable juego de explosiones periódicas, el volcán Sangay (5.230m) se muestra desde sus dos lados.
In einem Wechselspiel von Ausbrüchen und Ruhephasen zeigt sich der Vulkan Sangay (5.230m) von seinen beiden Seiten.
The endless game of hourly explosions. The Sangay volcano (5.230m) shows its two sides.

Un atardecer de colores pasteles nos invita a presagiar el interior del volcán Cotopaxi (5.897m).

Die pastellfarbene Abenddämmerung lässt nicht erahnen, wie es im Innern des Vulkans Cotopaxi (5.897m) brodelt.

The pastel colors at dusk don't give a hint at what is boiling inside the Cotopaxi volcano (5.897m).

A pesar del inminente retroceso de los glaciares en las montañas ecuatorianas, los recursos hídricos son abundantes. El volcán Cotopaxi
Auch wenn die Gletscher im ecuadorianischen Gebirge zurückgegangen sind, gibt es noch reichliche Wasserressourcen. Vulkan Cotopaxi
Even though Ecuadorian glaciers have been receding, there are still water resources in abundance. The Cotopaxi volcano

El recurso hídrico en el Ecuador es abundante, pero ... ¡cuidado! No debemos derrochar ni ensuciar, porque si no la naturaleza puede matarnos de sed. Parque Nacional Cotopaxi

Wasser gibt es in Ecuador reichlich. Aber Achtung! Man soll es weder verschwenden noch verschmutzen, denn sonst wird sich Mutter Natur rächen und uns verdursten lassen. Nationalpark Cotopaxi

There are abundant water resources in Ecuador, but be careful! Neither waste nor pollute it, otherwise "mother nature" may take revenge and leave us thirsty. National park Cotopaxi.

La histeria causada por la erupción del volcán Tungurahua provocó que incluso las velas usadas en tiempo de apagones o en la misa del domingo llegaran a agotarse y se convirtieran en artículos de primera necesidad.

Der Ausbruch des Vulkans Tungurahua führte zu hysterischen Kerzenkäufen, so dass das notwendige Kontingent für die Sonntagsmesse oder den nächsten Stromausfall nicht mehr zur Verfügung stand.

The hysteria caused by the eruption of the volcano Tungurahua led to the scarcity of candles, originally meant for blackouts or Sunday mass.

Se consideraría al volcán Chimborazo (6.310m) como la montaña más alta del mundo, si la medición partiera desde el centro de la Tierra.
Der Vulkan Chimborazo (6.310m) ist der höchste Berg der Welt, würde er von der Erdmitte aus gemessen werden.
The Chimborazo volcano (6.310m) is the highest mountain on earth measured from the center of the earth.

Entre las pesadas piedras del complejo arqueológico más importante de la cultura incaica en el Ecuador, se escuchan aún las voces y murmullos de las sacerdotisas y niños que eran sacrificados en honor a los dioses. Ingapirca (Cañar)

Zwischen den gewaltigen Steinen von Ingapirca, dem für Ecuador bedeutendsten archäologischen Inka-Komplex, hört man immer noch das Flüstern der Priester und die stillen Schreie der Kinder, die für die Götter geopfert wurden. Ingapirca (Cañar)

Among the heavy rocks of Ecuador's most important archeological site of the Inca era one still can hear the voices and whispers of priestesses and children who were sacrificed to honor the Gods. Ingapirca (Cañar)

La paciencia es el don de los dioses.

Die Geduld ist eine Gabe Gottes.

Patience is a gift of God.

LAS RAÍCES ANCESTRALES

La población de la Sierra es básicamente indígena. Llegaron hace varios milenios, posiblemente desde el Norte, y se asentaron en los Andes, en donde prosperaron rápidamente llegando a formar culturas muy desarrolladas. La llegada de los Incas hace algo más de 500 años, con un afán de conquista, truncó el desarrollo de estas culturas milenarias, las cuales fueron sometidas con cierta facilidad. Solo unos pocos grupos se defendieron encarnizadamente, lo que ocasionó una serie de batallas y matanzas espeluznantes. Sin embargo, la invasión incásica duró solo un pequeño lapso de la historia de este país. Los españoles llegaron a principios del siglo XVI y sometieron a toda etnia que se les cruzara en el camino, comenzando un período de explotación de los indígenas, a los cuales se les cobraba tributos que equivalían exactamente al miserable salario que recibían.

AUF DEN SPUREN DER VORFAHREN

Die Einwohner des Hochlands sind mehrheitlich Indios. Sie kamen vor einigen Jahrtausenden wahrscheinlich vom Norden her und siedelten sich in den Anden an. Ihre Entwicklung zu beachtlichen Hochkulturen schritt schnell voran. Als die Inka vor ungefähr 500 Jahren hier ankamen, war es ihr Ziel, diese Jahrtausende alten Kulturen zu erobern, was ihnen auch erstaunlich schnell gelang. Nur wenige kleine Gruppen verteidigten sich erbittert in einer Serie von Schlachten und furchtbaren Gemetzeln. Durch die Unterwerfung war ihre eigenständige kulturelle Weiterentwicklung zu Ende.
Aber auch die Invasion der Inka stellt nur eine kurze Zeitspanne dar, wenn man in den geschichtlichen Kategorien des Landes denkt. Schon Anfang des 16. Jahrhunderts trafen die Spanier ein und besiegten jedes Volk, das sich ihnen in den Weg zu stellen versuchte. Mit ihnen begann das Zeitalter der Ausbeutung der Urbevölkerung, die unter ihnen Tribute in der gleichen Höhe ihres erbärmlichen Lohnes zu entrichten hatte.

ANCIENT ROOTS

The population of the highlands is basically native. These people arrived some several thousand years ago, possibly from the north and settled in the Andes, where they created a highly developed culture. The Incas arrived some 500 years ago and conquered these thousand year-old settlers relatively easily. Only some small groups resisted fiercely, which caused a series of battles and bloody killings. Nevertheless, the Inca invasion lasted only a short time in the history of this country. The Spaniards arrived at the beginning of the XVI century and with them the exploitation of the indigenous population began. Under the Spanish rule the indigenous were charged taxes in the height of their lousy salaries.

Un pastorcito cuida sus alpacas en un páramo de Chimborazo. Pulinguí (Chimborazo)
Ein Hirtenjunge hütet seine Alpakas im Hochland des Chimborazo. Pulinguí (Chimborazo)
A young shepherd boy taking care of his alpacas in the Chimborazo Highlands. Pulinguí (Chimborazo)

Un carro alegórico muestra parte de la comida tradicional de la Sierra. Fiesta de la Confraternidad en Cayambe (Pichincha)

Ein Festwagen zeigt kulinarische Spezialitäten des Hochlandes. „Fest der Verbrüderung" in Cayambe (Pichincha)

An allegoric vehicle presents the traditional food of the highlands. Festivity of Brotherhood in Cayambe (Pichincha)

Una indígena prepara una salsa de queso que acompañará a la papa chola recién cosechada. Provincia de Imbabura

Eine Indiofrau bereitet eine Käsesoße für die gerade geernteten und gekochten Kartoffeln zu. Provinz Imbabura

A native woman preparing a cheese sauce, which will accompany potatoes that have just been harvested. Province of Imbabura

Este tierno niño recibió su recompensa después de haber visto pacientemente el desfile de comparsas por las calles de Cayambe (Pichincha).

Dieser süße Junge hat eine Belohnung bekommen, nachdem er geduldig den Umzug auf den Straßen von Cayambe beobachtet hat.

This sweet little child received a reward for having patiently watched the parade in the streets of Cayambe (Pichincha).

Esta otavaleña tiene una sonrisa que cautiva a turistas.

Diese junge Frau aus Otavalo gewinnt mit ihrem Lächeln die Touristen für sich.

The smile of this young woman from Otavalo captures the tourists.

Con la esperanza de ser escuchada, esta anciana coloca una velita en honor a un allegado. Catedral de la Inmaculada (Cuenca)
Mit der Hoffnung erhört zu werden, stellt diese alte Frau eine Kerze zur Erinnerung an einen Verwandten auf. Kathedrale „La Inmaculada" (Cuenca)
Hoping to be heard, this old lady alights a candle for a deceased relative in the cathedral "La Inmaculada" (Cuenca).

Las iglesias del país son visitadas frecuentemente por los feligreses para rezar por los seres que partieron al más allá.

Die Kirchen werden von den Gläubigen häufig besucht, um für die Verstorbenen zu beten.

Believers often visit the countries churches to pray for the deceased ones.

Una orgullosa familia indígena tallada por un ingenioso artista se muestra al mundo con su mejor cara.
Eine stolze Indiofamilie, geschnitzt von einem kreativen Künstler, zeigt sich der Welt von ihrer besten Seite.
A proud indigenous family, carved by a creative artist.

ORGULLOSOS DE NUESTRA IDENTIDAD

Los indígenas han mantenido a lo largo de su existencia sus valores y costumbres, sus coloridos ponchos, sus diversos sombreros y sus finas joyas hechas de oro y plata, que forman parte de su atuendo milenario. Utilizan en sus desfiles tenebrosas máscaras, elaboradas con ingenio y creatividad, mostrando a sus dioses y protectores. También están las vírgenes y los santos que, en cada localidad, protegen a sus fieles de todo mal.
Sus tradicionales fiestas a lo largo del año están indudablemente bañadas de los colores del arco iris. Danzantes, comparsas y carros alegóricos se pueden ver en todas las regiones de la Sierra. Parte imprescindible de las fiestas es el "trago" o "guarapo" que, en combinación con el rico sonido de la música indígena, convierte a las fiestas en un pretexto para prolongar la celebración por días y hasta semanas.
La sabiduría de sus chamanes, utilizando plantas medicinales y curaciones transmitidas de generación en generación, enriquece la identidad ecuatoriana y la convierten en una mezcla de lo científico con lo supersticioso. Lo cierto es que, para la población rural, muchas de las enfermedades pueden ser sanadas usando un huevo, un cuy, hojas de guayusa o una serpiente venenosa.
Sin embargo, lo más posible es que en un futuro cercano, por la globalización y el afán de los indígenas a estar "de moda", las ricas costumbres y sus ancestrales valores queden archivados. Sus dirigentes están llamados a crear una verdadera conciencia de lo"nuestro", sobre todo en las generaciones más jóvenes, para que estas tradiciones se mantengan por muchos milenios más.

STOLZ AUF DIE EIGENE IDENTITÄT

Den indianischen Ureinwohnern ist es stets gelungen ihre Werte und Sitten zu bewahren. Dazu gehören ihre leuchtend bunten Ponchos, ihre unterschiedlichen Hüte und das feine Schmuckwerk aus Gold und Silber, das schon seit Tausenden von Jahren Teil ihrer Tracht ist. Auf ihren traditionellen Paraden werden zusätzlich zu ihrer Volkstracht auch furchterregende, jedoch mit viel Erfindergeist und Kreativität hergestellte Masken, die ihre Götter und Beschützer darstellen, verwendet. Auf der anderen Seite verehren sie aber ebenso Jungfrauen und Heilige, die an jedem erdenklichen Ort präsent sind, um die Gläubigen vor allem möglichen Unheil zu bewahren.
Die traditionellen Feiern der Ureinwohner innerhalb eines Kalenderjahres sind ein Fest der Farben. Sie sind in alle Schattierungen des Regenbogens getaucht und Tänzer sowie Festwägen füllen dabei die Straßen überall in der Andenregion. Ein nicht wegzudenkender Teil dieser Feste ist auch der „Trago" oder „Guarapo", ein weitverbreiteter Zuckerrohrschnaps. Dieses Getränk in Verbindung mit den melodischen Klängen der indigenen Musik gibt jedem Fest seinen besonderen Charakter und am liebsten würden die Teilnehmer die Feiern über Tage und Wochen ausdehnen.
Ein ebenso wichtiger Teil dieser Kultur sind die Schamanen, die die traditionellen Heilpflanzen und natürlichen Behandlungsmethoden mit Bedacht einsetzen. Hier erkennt man die Identität Ecuadors, in der medizinisches Know-how eng mit dem Aberglauben eines Naturvolkes vermischt ist. Tatsächlich jedoch werden bei der Landbevölkerung viele Krankheiten durch die richtige Verwendung eines Eies, eines Meerschweinchens, der Blätter der Guayusa-Pflanze oder einer Giftschlange erfolgreich geheilt.
Leider droht den Ureinwohnern - sollte die Globalisierung weiter so voranschreiten und der Wunsch nach Modernität weiter zunehmen - der Verlust dieses reichhaltigen Brauchtums. Ihre Führer sind daher aufgerufen, vor allem in der jungen Generation das Gemeinschaftsgefühl und den Stolz über ihre Jahrtausende alte Kultur zu stärken, um somit den Fortbestand ihrer Traditionen für die Zukunft zu bewahren.

BEING PROUD OF THEIR OWN IDENTITY

The natives have retained values and customs throughout their existence, such as their colored ponchos, their diverse hats and delicately manufactured jewels of gold and silver, which form part of their thousand-year-old tradition. In their parades they use artistically handcrafted gloomy masks, demonstrating their Gods and protectors. On the other hand they also adore their holy virgins and saints, who appear in all parts of the country to protect the faithful from evil. Traditional festivals throughout the year are undoubtedly marked by the display of rainbow colors. Dancers and parade vehicles can be watched throughout the Highlands. An integral part of their festivals is the "sugar cane liquor", a drink which together with the rhythm of native music provides a reason to extend celebrations for days and even weeks.
The wisdom of their shamans, who use medicinal plants and healing methods, handed down from generation to generation, melting science with superstition, part of the Ecuadorian identity. Among the rural population sicknesses are often treated by using an egg, a guinea pig, guayusa leaves and a poisonous snake.
Nevertheless, due to globalization and the eagerness of the natives to be "in", it's most likely that the rich customs and ancient values will reappear. Their leaders are called on to strengthen cultural consciousness especially among the young generation, so that these traditions can be maintained in the future.

Las fiestas de Corpus Christi fueron introducidas en el Ecuador por los españoles como un instrumento para evangelizar a los pueblos de la Sierra ecuatoriana.

Die Fronleichnam-Feste wurden in Ecuador von den Spaniern eingeführt, als die Hochland-Bevölkerung zum katholischen Glauben bekehrt wurde.

The Spanish introduced the festival of Corpus Christi to Ecuador in order to convert the highland population into Christians.

▶

En las ruinas de Cochasquí (Pichincha) un grupo de shamanes indígenas agradece a la Pachamama por la cosecha durante el solsticio de verano.

Bei den Ruinen von Cochasqui dankt eine Gruppe von Shamanen der Mutter Erde für die Ernten während der Sommersonnenwende.

Nearby the ruins of Cochasqui a group of shamans thank mother earth for their harvest during solstice.

▶

Este "Ashanga" de rostro tiznado es el esposo de la "Mama Negra" y carga la "jocha", que es la comida para la fiesta.

Dieser "Ashanga" mit schwarzgefärbtem Gesicht ist der Ehemann der "Mama Negra" und trägt die „jocha", das Festessen.

This "Ashanga" with his blackened face is the husband of "Mama Negra" and carries the "jocha", the festival food.

Loor a Latacunga 2003 - 2004
Junta Pro-
barrios
Oriente
Junta Pro-Mejoras de los
barrios Sur Oriente

A pesar de que la sociedad ecuatoriana ha sido tradicionalmente machista, los hombres disfrutan vistiéndose de mujeres en la fiesta de la "Mama Negra" de Latacunga.
Auch wenn die ecuadorianische Gesellschaft traditionell vom Machismo geprägt ist, verkleiden sich die Männer als Frauen beim Fest der „Mama Negra" in Latacunga.
Even though Ecuadorian society is traditionally marked by male chauvinism, men dress up as women at the festival of "Mama Negra" in Latacunga.

Los niños de los colegios participan activamente en todos los desfiles autóctonos.
Die Schulkinder machen bei allen Festumzügen aktiv mit.
School kids actively participate in all festival parades.

Coloridas comparsas avanzan en un baile frenético por las calles de Cayambe durante las fiestas en honor a San Pedro y a San Pablo.

FarbenprächtigeTänzer ziehen zu Ehren der Schutzheiligen Peter und Paul in einem energiegeladenen Tanz durch die Straßen von Cayambe.

Colorful dancers parade through the streets of Cayambe to honor the saints Peter and Paul.

La música indígena se caracteriza generalmente por la combinación de dos géneros de instrumentos: viento y percusión. Fiesta de la Confraternidad en Cayambe

Die indianische Musik ist durch eine Kombination von Blas- und Schlaginstrumenten gekennzeichnet. „Fest der Verbrüderung" in Cayambe

Indigenous music is often characterized by the combination of wind and percussion instruments (Festival of Brotherhood in Cayambe).

En la fiesta de la "Mama Negra" en Latacunga, conocida también como "la Santísima Tragedia", se fusionan los símbolos de las culturas indígena, hispana y africana.
Beim Fest der „Mama Negra" in Latacunga, auch bekannt als „die heilige Tragödie", vereinen sich die Kultursymbole der Indios, der Spanier und der Afrikaner.
Fusion of symbols of African, Hispanic, and native cultures at the festival of "Mama Negra" in Latacunga, also known as "the holy tragedy".

El Diablo Uma (cabeza de diablo) es el personaje principal de la fiesta de San Pedro en Cayambe. Escogido entre los más valientes y honestos miembros de la comunidad, debe cumplir la misión de espantar a todos los demonios que destruyen las cosechas y apagan la energía positiva.

Der Teufel Uma (Teufelskopf) ist die Hauptperson der San Pedro-Feier in Cayambe. Er wird unter den tapfersten und ehrlichsten Männern der Gemeinde ausgewählt. Seine Aufgabe ist es, alle Dämonen, die die Ernte zerstören und die positive Energie auslöschen könnten, zu vertreiben.

The Uma devil (head of the devil) is the principal character of the celebrations at San Pedro in Cayambe. Chosen by the most respected members of the community, it must accomplish the mission to ward off all demons, which destroy the harvest and turn off the positive energy.

Estos pastorcitos caminan rumbo a su morada acompañado de sus animales.
Die beiden jungen Hirten reiten mit ihren Tieren nach Hause.
Accompanied by their animals these young shepherds are riding home.

En sus ojos hay un reflejo de esperanza y ternura.

In ihren Augen schimmert Zuversicht und Zärtlichkeit.

Her eyes reflect hope and tenderness.

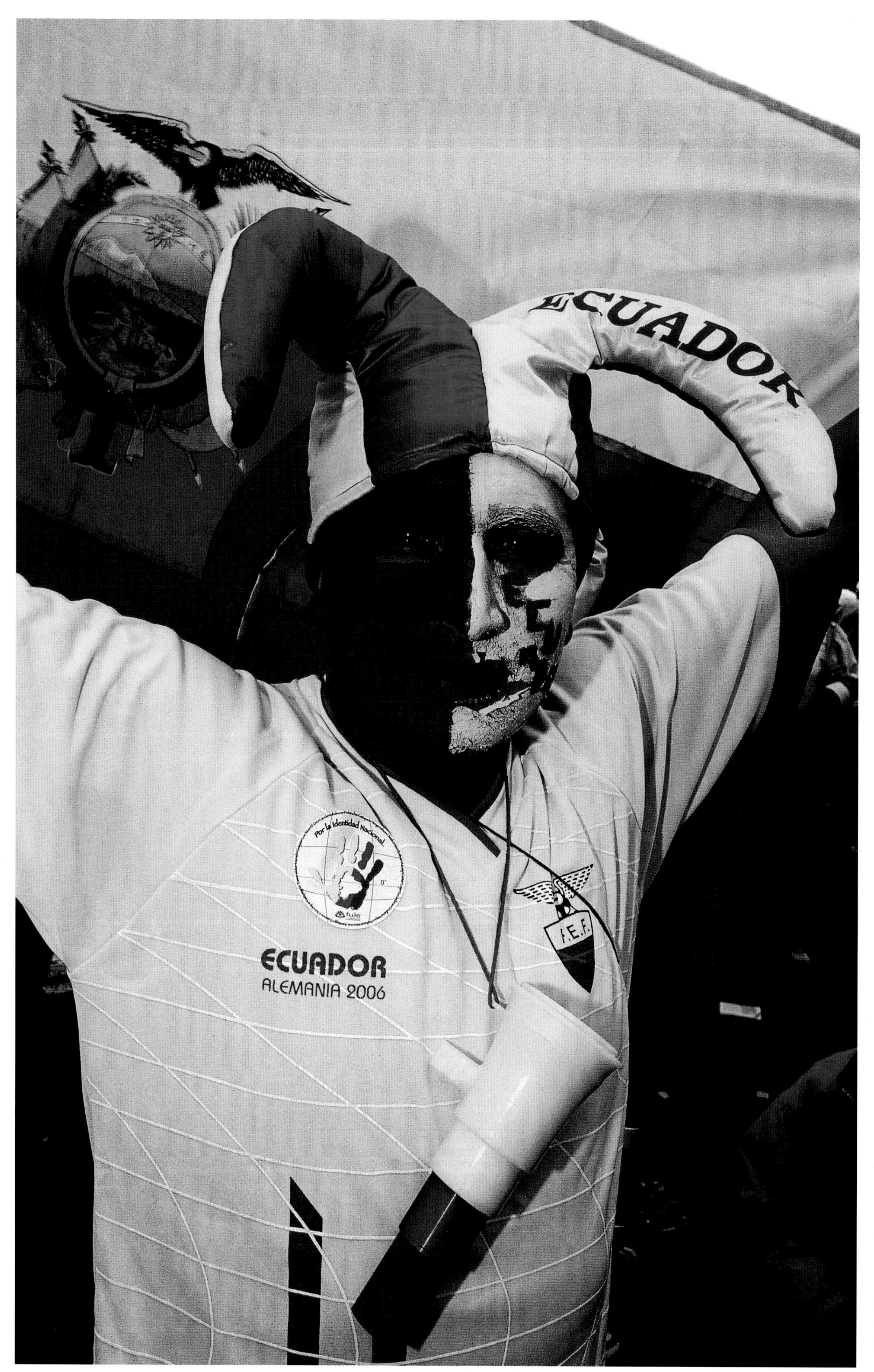

Cuando la selección nacional de fútbol juega, el pueblo ecuatoriano se olvida de sus penas y de sus necesidades.

Wenn die Fußball-Nationalmannschaft spielt, vergisst das ecuadorianische Volk Kummer und Sorgen.

Ecuadorians forget all their sorrows, when their national soccer team is playing.

La pasión originada tras la clasificación por segunda vez consecutiva al Mundial de fútbol no solamente se lleva en el corazón.
Die Begeisterung nach der zweimaligen Qualifikation zur Fußballweltmeisterschaft steckt nicht nur im Herzen...
The passion created by the second consecutive qualification of the football world championship, appears not only in the Ecuadorian's hearts.

LA OTRA CARA DE LA CIVILIZACIÓN

Por suerte en el área rural, apenas a minutos de la Panamericana, se puede encontrar aún un mundo autóctono y diferente: indígenas utilizando mulas, burros y llamas para el transporte de sus productos agrícolas entre las comunidades, humeantes chozas de paja de páramo, rebaños de ovejas que son arreadas por niños indígenas, de caritas y mejillas quemadas por el frío y la sequedad, o también adultos trabajando con azadones en los fértiles campos de tierras negras o indígenas cargando hierbita para sus animalitos, conejos y cuyes, que conviven con sus "patrones" en la misma habitación, lúgubre y oscura.
Los mercados indígenas, muchos de los cuales guardan su auténtico carácter ancestral, son puntos de encuentro de los locales. Allí se les ve negociando una vaca, una alpaca o quizás un lechón. Vienen de todos los rincones para proveerse de los productos que no siembran en sus pequeños "huasipungos". El carácter comunitario y solidario ha llevado a los indígenas, que representan algo más del 40% de la población ecuatoriana, a formar cooperativas y organizaciones ejemplares, en muchas ocasiones con ayuda económica del extranjero. Como resultado de estas actividades, se ha incrementado la autoestima y el poder político de este importante y milenario grupo étnico. Sin embargo, la falta de infraestructura en la parte rural ecuatoriana es evidente, lo que se refleja en la pobreza y en las altas tasas de analfabetismo.

AUF DER ANDEREN SEITE DER ZIVILISATION

Zum Glück kann man immer noch, nur wenige Minuten von der Hauptstraße „Panamericana" entfernt, auf dem Lande eine ganz andere Welt kennen lernen. Hier, fernab der Zivilisation, sieht man noch Indios, die Maultiere, Esel oder Lamas verwenden, um ihre landwirtschaftlichen Erzeugnisse in andere Dörfer zu bringen. Hier sieht man die für das Hochland typischen Strohhütten und Schafherden, die von Kindern mit vor Kälte und Trockenheit geröteten Gesichtern und Wangen gehütet werden. Man sieht Erwachsene, die mit einfachen Hacken ihre fruchtbaren Felder bearbeiten oder vollbeladene Indios, die Gras für ihre Tiere wie Hasen und Meerschweinchen herbeischleppen. Dabei leben die Besitzer in denselben düsteren Räumlichkeiten wie ihre Tiere.
Die Märkte, die ihren ursprünglichen Charakter aus der Vergangenheit über Jahrhunderte beibehalten haben, sind wichtige lokale Treffpunkte der Urbevölkerung. Man kann dort noch das Feilschen um eine Kuh, ein Alpaka oder ein Ferkel beobachten, denn dorthin strömen die Menschen aus allen Winkeln der Berge, um sich mit Produkten einzudecken, die sie in ihren kleinen abgelegenen Weilern nicht selbst anbauen können.
Ihr Sinn für Gemeinschaft und Solidarität hat die Urbevölkerung, die mehr als 40 % der Gesamtbevölkerung ausmacht, dazu gebracht, Genossenschaften und soziale Organisationen, oftmals mit Unterstützung aus dem Ausland, zu gründen. Dadurch ist bei dieser bedeutenden und Jahrtausende alten Ethnie das Selbstwertgefühl gestärkt und die Forderung nach größerer politischer Mitsprache laut geworden. Aber trotz all dieser Bemühungen fehlt es in den ländlichen Gebieten an Infrastruktur und die dort herrschende Armut und der weit verbreitete Analphabetismus sind unübersehbar.

THE OTHER SIDE OF CIVILIZATION

Fortunately in rural areas, barely minutes away from the Pan-American Highway, one can still find a different and down-to-earth indigenous world. There one encounters natives using mules, donkeys and llamas for the transportation of their agricultural products between communities, smoking straw huts made of grass of the highlands (the Paramo), flocks of sheep herded by native children, whose faces and cheeks are burned by cold and dryness. The adults work in the fertile black fields with hacks or natives carrying grass for their small animals such as rabbits and guinea pigs, which all live together with their owners under the same gloomy dark roof.
The local markets, which mostly kept their authentic ancient character, are meeting points for the natives. It seems that everything is negotiable there, a cow, an alpaca or perhaps a pig. Natives come from all corners of the mountains to buy products they cannot grow or produce themselves in their own hamlets. With their sense of solidarity and community spirit, indigenous people who represent more than 40% of Ecuador's population, have often formed cooperatives and other types of social organizations, many of which are funded by foreign aid. Such economic activity has helped this important and thousand year-old ethnic group to regain some of its self-esteem and political power. Nonetheless, the lack of infrastructure in the rural parts of Ecuador is evident, a fact reflected by poverty and a high illiteracy rate.

Una revisión exhaustiva de la calidad de los granos traerá réditos seguros en la venta del maíz. Mercado de Saquisilí (Cotopaxi)

Eine genaue Qualitätskontrolle der Maiskörner wird deren Verkauf sichern. Saquisilímarkt (Cotopaxi)

An exhaustive revision of the quality of grains of corn will bring safe yields in its sale. Market of Saquisili (Cotopaxi)

Un rebaño de ovejas se abre paso entre los pajonales del páramo de Pulinguí (Chimborazo).
Eine Schafherde zieht durch das Hochlandgras von Pulinguí (Chimborazo).
A flock of sheep walking through the high grassland in Pulinguí (Chimborazo).

Este paciente campesino espera, junto a sus compras hechas en el Mercado de Zumbahua, para volver a su huasipungo.
Dieser Landwirt wartet geduldig, um seine Einkäufe vom Zumbahua-Markt nach Hause zu bringen.
A patient farmer waiting to bring home his purchases from the Zumbahua market.

Entre flores amarillas y violetas, esta campesina muestra su destreza con la yunta.
Inmitten eines Gartens aus gelben und violetten Blumen zeigt diese Indiofrau ihre Geschicklichkeit mit der Hacke.
Amidst a garden of yellow and purple flowers an indigenous woman demonstrates her skills with the axe.

Todas las extremidades son utilizadas en la fabricación de instrumentos artesanales. Mercado de Saquisilí (Cotopaxi)

Mit Händen und Füßen werden Löffel und Messer hergestellt. Markt von Saquisilí (Cotopaxi)

Spoons and knives are produced by hand and by feet. Market of Saquisili (Cotopaxi)

Este costurero artesanal le arregla todo tipo de prenda de vestir a buen precio. Mercado artesanal de Saquisilí (Cotopaxi)

Dieser Schneider flickt alle möglichen Kleidungsstücke zu einem äußerst günstigen Preis. Handwerkermarkt von Saquisilí (Cotopaxi)

This artisan repairs all types of clothes at a reasonable price. Artisan market of Saquisilí (Cotopaxi)

Hace doscientos sesenta años, la Misión Geodésica Francesa estableció, sin GPS, que en el lugar donde hoy emerge el gran monumento se encuentra la "Mitad del Mundo".
Bereits vor 260 Jahren hat die französisch-spanische Expedition zur Erdvermessung festgestellt, dass dort der Äquator verläuft, wo heute das Monument "Mitad del Mundo" steht.
260 years ago the French-Ecuadorian geodetic expedition discovered that the equatorial line ran through the place, where today the monument of "Mitad del Mundo" emerges.

La historia hace referencia al pueblo "quitu" que vivía en las estribaciones quiteñas en el siglo XIII y que había ofrecido resistencia a los Incas provenientes del Sur. Una vez sometidos los "quitu", la ciudad de Quito pasó a ser uno de los ejes centrales del Imperio incásico junto con Cajamarca y el Cuzco. Antes de la llegada de los españoles, los Incas quemaron la ciudad de Quito, por lo que el español Sebastián de Benalcázar se encargaría de volver a fundarla, esta vez de forma oficial y en nombre de "Dios y Don Carlos" en diciembre de 1534, con el nombre de "San Francisco de Quito".
Enclavada en las faldas de los volcanes Rucu y Guagua Pichincha a 2800 m.s.n.m., Quito es la capital más antigua del continente americano. Considerada a nivel mundial como una de las capitales más hermosas de Latinoamérica, esta ciudad de cerca de 2 millones de habitantes es una verdadera joya del arte colonial con más de 100 iglesias y 55 conventos. Tanto franciscanos como agustinos, dominicanos y jesuitas dejaron sus huellas imborrables en sus monumentales obras en el casco colonial de Quito, en los que combinaron una serie de estilos: Barroco, Renacentista, Clasicista y Mudéjar.
Quito es la capital de todos los ecuatorianos desde 1830 y fue la primera ciudad en el mundo en ser declarada por la UNESCO como "Patrimonio Cultural de la Humanidad" en 1978, debido a la gran cantidad de valiosas piezas y reliquias de arte colonial que son albergadas detrás de los gruesos muros de decenas de iglesias, conventos y claustros.
Su privilegiada situación geográfica, hace de Quito el punto de partida para descubrir el Ecuador.

QUITO: DIE HAUPTSTADT IM HERZEN ALLER ECUADORIANER

Die Geschichte spricht vom Volk der „Quitu", welches im 13. Jahrhundert in den Grenzen des heutigen Quito lebte. Die nach Eroberung strebenden Inkas rückten aus dem Süden heran und das Volk der „Quitu" setzte sich dagegen erbittert zur Wehr. De Sieg der Inka über die „Quitu" wurde jedoch errungen und Quito entwickelte sich, genauso wie Cajamarca und Cuzco, zu einem wichtigen Zentrum des Inka-Imperiums. Vor der Ankunft der Spanier jedoch steckten die Inka Quito in Brand und zwangen so den Spanier Sebastián de Benalcázar zum Wiederaufbau. Der gründete schließlich im Dezember 1534 die Stadt neu „im Namen Gottes und des Prinzen Carlos" und gab der Stadt den Namen „San Francisco de Quito".
Quito ist somit die älteste Hauptstadt des amerikanischen Kontinents, sie liegt eingebettet am Fuße der Vulkane Rucu und Guagua Pichincha auf 2800 m Höhe. Die Stadt, die mehr als zwei Millionen Einwohner beherbergt, wird weltweit als eine der schönsten Hauptstädte Lateinamerikas angesehen. Sie ist ein wahres Juwel unter den Städten, vor allem aufgrund der vielen Kolonialstilbauten darunter 100 Kirchen und 55 Klöster. Sowohl Franziskaner als auch Augustiner, Dominikanermönche und Jesuiten, hinterließen in der Altstadt Quitos unauslöschbare Spuren in Form von großartigen Kunstwerken. Sie vereinten dabei Stile des Barocks, der Renaissance der Klassik und des Mudéjar-Stils.
Seit 1830 sehen alle Ecuadorianer Quito als ihre Hauptstadt an. Sie wurde als weltweit erste Stadt von der UNESCO zum „Weltkulturerbe" erklärt. Dies geschah aufgrund der großen Anzahl an Kunstschätzen und Reliquien im Kolonialstil, die sich hinte den dicken Mauern vieler Kirchen, Klöster und Kreuzgängen befinden.
Die günstige geografische Lage macht Quito zu einem erstklassigen Ausgangspunkt für Touristen, die Ecuador erkunden möchten.

QUITO: CAPITAL OF ALL ECUADORIANS

History refers to the people who lived in the foothills of Quito in the XIII century as "quitu". These people resisted the Incas vehemently, who came from the south in order to conquer them. However, they surrender and the city of Quito became part of the central axis of the Inca Empire just as Cajamarca and Cuzco. Before the Spaniards came, the Incas had burned down the city of Quito, so that the Spaniard Sebastian de Benalcazar was charged with the reconstruction of the city. He officially founded the city in December of 1534 in the name of "God and Don Carlos" and named it "San Francisco de Quito".
Embedded between two volcanoes, the Rucu and Guagua Pichincha, at 2800 meters above sea level, Quito is the oldest capital of the American continent. Worldwide considered as one of the most beautiful capitals of Latin America, this city of almost two million inhabitants is a real jewel of colonial art with more than a hundred churches and fifty-five convents. Franciscans like Augustinians Dominican and Jesuits left their unmistakable tracks with their monumental designs in the colonial center of Quito. They combined the classic styles of Baroque, Renaissance, Classicism and Mudejar.
Quito has been the capital of all Ecuadorians since 1830 and was the very first city to be declared by UNESCO as "Cultural Heritage of Humanity" in 1978, because of its great amount of valuable pieces and relicts of colonial art hosted by dozens of churches, convents and cloisters, all behind thick walls.
Its privileged geographic position makes Quito a preferred departure point for tourists eager to explore Ecuador.

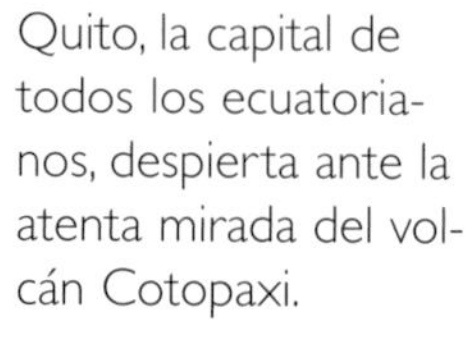

Quito, la capital de todos los ecuatorianos, despierta ante la atenta mirada del volcán Cotopaxi.

Quito, die Hauptstadt aller Ecuadorianer, erwacht unter dem aufmerksamen Blick des Vulkans Cotopaxi.

Quito, the capital of Ecuador, is awaking under the gaze of the Cotopaxi volcano.

Quito, Luz de América, se muestra noble y moderna desde lo alto del cielo.

Quito, auch „Licht Amerikas" genannt, zeigt sich majestätisch und modern aus der Höhe.

Quito, also called "the light of America", demonstrates itself as noble and modern from above.

La Virgen sobre el Panecillo de Quito protege a la ciudad de todo mal.

Die Schutzheilige auf dem „Panecillo" in Quito bewahrt die Stadt vor Unheil.

The virgin on the Panecillo hill of Quito protects the city against misfortune.

El Palacio de Carondelet, sede del gobierno y morada de los presidentes ecuatorianos.

Der Palast von Carondelet, Regierungssitz und Wohnhaus des ecuadorianischen Präsidenten.

The Carondelet palace is government building and the residence of the Ecuadorian president.

El Centro Colonial e Histórico de Quito ha recuperado en los últimos años el carácter de antaño.

Die koloniale Altstadt Quitos hat in den letzten Jahren ihr früheres Aussehen wieder erlangt.

The colonial part of Quito has recently been restored to regain its original look.

La silueta esbelta de la ciudad de Quito abrazada por la luz nocturna de la luna. Cúpulas de la Iglesia "La Compañía de Jesús" en el Centro Histórico

Die Silhouetten von Quito werden vom nächtlichen Mondlicht eingehüllt. Kuppeln der Kirche „La Compañía de Jesús" im Zentrum der Altstadt

The slender silhouette of the city of Quito, embraced by nocturnal moonlight. Domes of the Church "The Company of Jesus" in the Historic Center

Las paredes de la Iglesia San Francisco en Quito fueron construidas con las piedras del Palacio de Huayna Cápac, que se encontraba en el mismo sitio.

Die Mauern der Kirche San Francisco in Quito wurden aus den Steinen des Palastes des Inkakönigs Huayna Cápac gebaut, der an der gleichen Stelle gestanden hatte.

The walls of San Francisco church in Quito were built of stones from the palace of the Inca king Huayna Capac, which was previously located in the same spot.

LA COSTA: CALIENTE, VALIENTE Y EMPRENDEDORA

La costa se extiende entre la Sierra y el Océano Pacífico, y tiene una extensión de 180 kilómetros en Guayaquil y Portoviejo, y sólo 20 kilómetros en El Oro.
La transición entre la Sierra y la Costa es vertiginosa, pues el panorama de vegetación cambia con cada curva. Cascadas y riachuelos bajan velozmente hasta alcanzar la planicie, en donde se ensanchan y forman grandes ríos, como el Babahoyo y el río Daule, que finalmente se unen y dan paso al gran río Guayas. En estas vastas planicies se observa a los campesinos sembrando arroz, plátano, palma africana, piña, mango y una serie de frutas exóticas muy apetecidas en el primer Mundo. Gran parte de su extensión está inundada durante todo el año, lo que permite tener varias cosechas al año. A diferencia de otros países latinoamericanos, en los cuales los desiertos han esterilizado gran cantidad del suelo costeño, en el Ecuador todo germina por la bondad y la fertilidad de sus tierras.

DIE KÜSTE: HEISSE HEIMAT FÜR MENSCHEN VOLLER LEBENSLUST

Die Küste erstreckt sich über das Gebiet zwischen Andenhochland und dem Pazifischen Ozean mit einer Ausdehnung von 180 km bei Guayaquil und Portoviejo, aber nur 20 km bei El Oro. Der atemberaubende Übergang vom Hochland zur Küstenlandschaft fasziniert durch sein einzigartiges Panorama, wobei sich die Vegetation von Straßenkurve zu Straßenkurve mehr und mehr verändert. Wasserfälle und Bäche stürzen rasend schnell Richtung Tal, bis sie die Ebene erreichen, sich dort ausdehnen und große Flüsse wie den Babahoyo oder Daule bilden, die schließlich im Strom des Guayas aufgehen. In den ausgedehnten Tiefebenen kultivieren die dort ansässigen Bauern Reis, Bananen, afrikanische Palmen, Ananas, Mangos und eine Reihe von anderen exotischen Früchten, die in der „Ersten Welt" guten Absatz finden. Weite Teile der Küstenzone erhalten während des ganzen Jahres ergiebige Regenfälle, was mehrere Ernten pro Jahr möglich macht. Im Gegensatz zu anderen südamerikanischen Ländern, in denen große Gebiete der Küste unfruchtbare Wüste sind, gedeiht in Ecuador aufgrund der fruchtbaren und ertragreichen Böden alles prächtig.

THE HOT COAST: HOME TO BRAVE AND ENTERPRENEURIAL PEOPLE

The coastal part of Ecuador extends from the Highlands to the Pacific Ocean. Near the cities of Guayaquil and Portoviejo this coastal area spreads over 180 kilometers inlands, whereas in the province "El Oro", its width is only 20 kilometers. When driving from the Highlands to the coast, one observes the rapidly changing vegetation in breathtaking scenery. Waterfalls and streams descend down to the lowland, where they form wide rivers such as the Babahoyo river and the river Daule. These two later merge and become the great river Guayas. In the vast plains of the coastal zone one can observe the farmers as they seed rice, banana, African palms, pineapples, mangos and a series of other exotic fruits, which all are exported to the first world. Abundant rainfalls throughout the whole year permit several harvests a year. In contrast to other Latin-American countries where deserts have sterilized large parts of the coastal land, Ecuador is blessed with fertile earth where everything germinates.

Este campesino seca las pepas de cacao que se transformarán en el Primer Mundo en finos chocolates.
Ein Bauer trocknet Kakaobohnen an der Sonne, die in Europa zu feiner Schokolade verarbeitet werden.

Luego de la faena nocturna de pesca, los pescadores abandonaron presurosos sus pangas para ir a descansar. Don Juan (Manabí)
Nach dem nächtlichen Fischfang sind die einheimischen Fischer sofort zum Ausruhen verschwunden. Don Juan (Manabí)
After nocturnal fishing, the fishermen have quickly left to get some rest. Don Juan (Manabí)

El mar impetuoso lanza innumerables olas hacia la playa de Olón (Guayas), formando estelas de espuma.
Schäumende Meereswellen am Strand von Olón (Guayas).
Countless foaming waves are brought in by the sea on to the beach of Olón (Guayas).

EL INTERCAMBIO MERCANTIL Y SUS INFLUENCIAS

La Costa fue habitada por las civilizaciones más antiguas del Ecuador. Vestigios de su arte, como la cerámica y objetos de cacería, han sido encontrados a lo largo de toda la Costa. Es muy común encontrar fragmentos de cerámica en distintos poblados u observar cómo máquinas excavadoras destruyen estos vestigios al ensanchar las carreteras o al empezar una construcción en un terreno baldío. Su población tuvo contacto con civilizaciones asiáticas, prueba de ello es la influencia artística en la ceración de las "Venus de Valdivia", esfinges talladas de ojos achinados, y las conchas "Spondylus", que se utilizaron como medio de pago en las transacciones comerciales de los pueblos. Algún turista pudiera pensar, al ver a los pescadores locales, que se encuentra en Tailandia y no en el Ecuador.

Hacia el sur se encuentran las provincias de Manabí, Guayas y El Oro, habitadas básicamente por mestizos, el grupo racial más grande en el Ecuador. En sus amplias y hermosas playas, se asientan pueblos de pescadores dedicados a la pesca artesanal en "pangas". En sus pequeños poblados se observan casitas de "caña guadúa", muy pocas calles asfaltadas y pequeños locales al pie del mar, en donde se ofrecen los más diversos platos de mariscos.

DER HANDEL UND SEINE AUSWIRKUNGEN

Die Küste wurde von den ältesten Kulturen Ecuadors besiedelt. Spuren ihrer Kunst wie Töpferei- und Jagdgegenstände wurden entlang der gesamten Küste entdeckt. Man findet auch noch heute Bruchstücke von Töpferwaren in verschiedenen Siedlungen und kann leider auch beobachten, wie Planierraupen, die bei der Verbreiterung von Straßen oder der Bearbeitung von Brachland eingesetzt werden, diese Zeugnisse der Vergangenheit zerstören. Die Bevölkerung dieser alten Zivilisationen stand in Verbindung mit asiatischen Kulturen, was sich durch den kunstvollen Einfluss in der Metallschmelzung der Venus von Valdivia nachweisen lässt. Es handelt sich bei den Fundgegenständen um kleinwüchsige Sphinxen mit schräg gestellten Augen und um Spondylus-Muscheln, die als Zahlungsmittel im Handel der Völker eingesetzt wurden. Auch beim Anblick der heimischen Fischer wähnt sich der Besucher manchmal eher in Thailand als in Ecuador.

Richtung Süden befinden sich die Provinzen Manabí, Guayas und El Oro, die im Wesentlichen von Mestizen, Ecuadors größten Bevölkerungsgruppe, bewohnt werden. An ihren weiten und schönen Stränden finden sich Dörfer, in denen die Menschen in ihren „Pangas" (kleinen Holzbooten), der erwerbsmäßigen Fischerei nachgehen. In den kleinen Dörfern überwiegen Hütten, die aus der Rohrpalme gebaut sind, und es gibt kaum asphaltierte Straßen. Kleine Lokale, in denen die unterschiedlichsten Meeresgerichte angeboten werden, befinden sich direkt am Strand.

COMMERCIAL TRADE AND ITS INFLUENCES

The Coastland was inhabited by Ecuador's most ancient civilizations. Traces of their art, such as ceramics and hunting objects, have been found across the whole region. Pottery is very commonly found in different settlements. Unfortunately, some of these ancient relicts are destroyed when highways are widened or new constructions are raised on previously untouched land. The population of these ancient civilizations are thought to be of Asian descent, evidenced by the artistic influence of the "Valdivia Venus" –a feminine statue with Asian eyes – and Spondylus seashells used as exchange currency for commercial transactions between different communities. When watching local fishermen, a tourist may think himself in Thailand rather than Ecuador.

In the South there are the Manabi, Guayas and El Oro provinces, whose population is basically composed of mestizos (mixed race between Indigenous and Spanish), the largest racial group in the country. Settlements of fishermen dedicated to traditional fishing in pangas (boat made of knotted wood) are found all along the broad and beautiful beaches. Their villages mostly consist of small houses made of caña guadúa (palm cane), few asphalted streets and small shops facing the sea, where a great variety of seafood dishes are sold.

Estas garzas esperan pacientemente en la desembocadura de un riachuelo para "pescar a río revuelto".
Diese aufgeweckten Reiher in einer Flussmündung warten geduldig auf einen guten Fischfang.
In the mouth of a river these alert herons patiently wait for a good catch.

Con un preciso lanzamiento de su atarraya, este pescador espera encontrar en su red el pescado para un delicioso cebiche.
Mit einem perfekten Wurf seines Netzes hofft dieser Fischer den Fisch für ein leckeres Mittagessen zu fangen.
With a precise launch of his net this fisherman will catch fish for a delicious lunch of ceviche (marinated raw fish).

Una avenida de algarrobos da la bienvenida al visitante del Parque Nacional Machalilla (Manabí).
Eine Schirmakazienallee heißt alle Besucher des Nationalparks Machalilla (Manabí) willkommen.
An avenue of carob trees welcomes all visitors to the National Park Machalilla (Manabí).

Estos niños han descubierto una enorme "morena marina" en el interior de la canoa.
Diese Kinder haben eine riesige Muräne im Kanu entdeckt.
These children have discovered a giant moray in the canoe.

LA VIDA TRANQUILA EN EL MAR

Toda la actividad de los pueblos costeños se desarrolla en torno al mar. La faena diaria de pesca comienza muy temprano en la mañana. Los pescadores salen en sus pangas, con sus redes y con la esperanza de traer el pescado a la mesa de sus familias. Los pescadores de larvas de camarón, que se vuelven especialmente activos durante los días de luna llena, surcan las riberas del mar con sus redes rojas. Otros buscan pulpos y langostas entre las rocas bañadas por el mar, un trabajo no muy seguro, pero con abundante cosecha debido a la producción generosa que ofrece el Océano Pacífico.

Las tardes las dedican a desenredar las redes, a contarse las experiencias vividas y a celebrar con una que otra cerveza el positivo resultado de la pesca. Muchos de ellos visitan los pueblos vecinos para ir de compras o para visitar parientes y amigos. Para ello, utilizan las "chivas", buses abiertos en donde los pasajeros no necesitan de aire acondicionado, ya que son refrescados por la brisa marina que entra por todos los costados del bus. Sobre el techo transportan su mercadería, frutas y uno que otro chivo, amarrado con una soga de cabuya.

Los atardeceres de temporada, verdaderos cuadros de pintura de colores cálidos y fulgurantes, dejan atónito a cualquier espectador por la belleza y sus impactantes colores: cielos rojos y anaranjados junto a una esfera de fuego que desaparece en el horizonte y da al observador la sensación de estar en un cuarto prendido en llamas.

DIE RUHE DES MEERES

Das Leben in den Küstendörfern bewegt sich ganz im Rhythmus des Meeres. Die harte Tagesarbeit beginnt mit dem Fischfang früh am Morgen. Die Fischer fahren auf ihren kleinen Booten mit Netzen aufs Meer hinaus und hoffen, ihren Familien den Fisch zum Mittagstisch bringen zu können. Die Krabbenfischer, die besonders an Tagen um den Vollmond aktiv sind, durchpflügen die Küstengewässer mit ihren roten Netzen. Andere jagen nach Tintenfischen und Langusten zwischen den vom Meer umspülten Felsen. Das ist eine recht riskante Arbeit, aber den Fischer erwartet, dank der Fruchtbarkeit des Pazifiks, eine reiche Ausbeute. Am Nachmittag werden die Netze geflickt, während man sich die Erlebnisse des Tages erzählt und den erfolgreichen Fischfang mit dem einen oder anderen Bier feiert. Oft besucht man dann das Nachbardorf, um etwas einzukaufen oder Freunde und Verwandte zu besuchen. Dazu benutzt man „Chivas" (offene Busse aus einer Holzkarosserie), in denen die Fahrgäste keine Klimaanlage brauchen, denn die frische Meeresbrise erfrischt alle gleichermaßen. Auf dem Dach transportiert man Marktwaren und auch die eine oder andere Ziege, die mit einem Seil aus Palmfasern festgezurrt ist.

Die Sonnenuntergänge sind wahre Feuerwerke in warmen und strahlenden Farben. Sie faszinieren den Betrachter durch ihre Schönheit und ihre kräftigen Farben: Der Himmel wechselt von Orange zu Rot, bis nur noch ein Feuerstrahl zurückbleibt, der auch schließlich am Horizont verschwindet. Dem Betrachter bleibt der Eindruck, er sei in einem Flammenbild eingeschlossen gewesen.

CALM LIFE ON THE SEASIDE

All activity in the coastal villages evolves around the sea. Every day fishing starts very early in the morning. Fishermen go out to the sea in their pangas with their fishing nets, hoping to bring back the food for their families. Shrimp fishermen who work particularly during full moon, search the shore waters with their red nets. Others search for octopus and lobster among the rocks washed by ocean water, a risky job but rewarding owing to the generous production of the Pacific Ocean.

The afternoons are for untangling nets, sharing experiences and celebrating the catch of the day with a few beers. Many of them visit the neighboring villages to go shopping or to visit friends and relatives. They travel on chivas, which are open buses with no need for an air conditioner due to the refreshing ocean breeze entering from all sides. Their goods like fruit or maybe one or two goats are transported on the roof, duly tied and secured by cabuya ropes.

The sunsets during the hot season with their warm and brilliant colors resemble artistic masterpieces changing from orange to red. And when finally the sun disappears as a ball of fire it leaves the spectator speechless.

Este pescador observa la puesta del sol desde su casita de caña guadúa.
Dieser Fischer beobachtet den Sonnenuntergang von seinem Bambushäuschen aus.
This fisherman is watching the sunset from his bamboo house.

Frondosas palmeras cargadas de cocos, cangrejos colorados y un relajante murmullo marino son los ingredientes para el reencuentro con los sueños perdidos. Don Juan (Manabí)

Dichtblättrige Kokospalmen, rote Krebse und das entspannende Rauschen des Meeres sind die Zutaten, um die verlorengegangenen Träume wiederzufinden. Don Juan (Manabí)

Leaf-loaded coconut palm trees, red crabs and the relaxing murmuring of the ocean are the elements to be found in lost dreams. Don Juan (Manabí)

Con rápidos y talentosos movimientos, este surfista baila su son en las olas de Montañita.
Schnell und gekonnt tanzt dieser Surfer seine Melodie auf den Wellen von Montañita.
This surfer dances swiftly and skillfully his own rhythm on the waves of Montañita.

¿Será que este espectador se siente en un cuarto prendido en llamas? Puerto Rico (Manabí)

Ob sich der Zuschauer wohl wie von Feuer umgeben fühlt? Puerto Rico (Manabí)

Does this spectator feel himself engulfed in flames? Puerto Rico (Manabí)

Desde la Cordillera Chongón Colonche se forman espectaculares paisajes de abruptos acantilados.

Vor der Chongón-Colonche-Gebirgskette bilden sich spektakuläre Landschaften mit steilen Klippen.

Steep cliffs form spectacular landscapes in front of the Chongon-Colonche mountain range.

Los niños son niños en todas partes del mundo. Sus juegos suspicaces inspiran el dorado atardecer.
Die Kinder sind auf der ganzen Welt gleich. Ihre heiteren Spiele bereichern den goldenen Sonnenuntergang.
Children are the same all over the world. Their joyful games enrich the golden sunset.

SOL, ARENA Y PLAYA ...

Bajo el esplendoroso calor del sol de diciembre hasta abril, una gran cantidad de turistas visitan las playas, especialmente en Carnaval y Semana Santa, buscando el mar y su agradable clima para alejarse del "stress" cotidiano. Sobre todo en la provincia del Guayas, se ha mejorado enormemente la infraestructura de viviendas privadas y hoteles, siendo Salinas el balneario más importante de la Costa. Una larga fila de rascacielos se alternan con locales comerciales, restaurantes y centros de diversión. Aquí confluyen familias de clase media y alta, quienes se dedican a los deportes acuáticos, pesca deportiva, surf, "banana boat" y otros. Unos cuantos kilómetros al Norte se encuentran hermosas playas, algo más descongestionadas, mansiones de estilo mediterráneo, santuarios, pueblos de pescadores y playas de surfistas.

SONNE, STRAND UND SAND ...

Von Dezember bis April, wenn die Hitze am größten ist, besuchen sehr viele Touristen die Strände des Landes. Sie kommen vorwiegend an Karneval und Ostern und wollen sich bei angenehmen Meerestemperaturen vom Alltagsstress erholen. Vor allem in der Provinz Guayas wurde eine beachtliche Infrastruktur an Hotels und Privathäusern gebaut, und Salinas ist heute der wichtigste Badeort an der Küste geworden. Hochhäuser wechseln mit Geschäften ab, die wiederum in Restaurants und Vergnügungszentren übergehen. Hier überwiegen Familien aus der Mittel- und Oberschicht, die verschiedenen Wassersportarten nachgehen wie der Sportfischerei, Surfen oder sich von einem „Bananenboot" durchs Wasser ziehen lassen. Einige wenige Kilometer nördlich davon finden sich hübsche, weitaus weniger überlaufene Strände, Villen in mediterraner Bauweise, liebevoll gepflegte Kappellen, kleine Fischerdörfer und Strandabschnitte für Surfer.

SAND, SUN, AND THE BEACH...

Under the gorgeous hot season sun between December and April, a great number of tourists visit the beaches, especially during the Carnival and Easter (spring break) holidays, trying to forget the stress of the cities in quest of the ocean and its pleasant climate. Especially in the Guayas province, the hotel and private housing infrastructure has improved considerably. Salinas is the most important beach resort with its line of skyscrapers alternating with commercial shops, restaurants, and amusement places. Here middle- to upper-class families meet to enjoy aquatic sports, fishing, banana boat rides, and other activities. A few kilometers to the North, beautiful and less populated beaches can be found with mediterranean-style mansions, sanctuaries, fishing villages, and surfing beaches.

La soledad en las playas ecuatorianas invita a la meditación y al encuentro con uno mismo. Playa Rosada en Palmar (Guayas)
Die menschenleeren Strände in Ecuador laden zur Meditation und zur Selbstfindung ein. „Playa Rosada" (rosa Strand) bei Palmar (Guayas)
Deserted Ecuadorian beaches invite to meditation and self-encounter. Playa Rosada in Palmar (Guayas)

◂

La faena de pesca ha terminado, pero el material debe ser desenredado a pesar del apremio de la inminente oscuridad. Salinas (Guayas)
Der Fischfang ist beendet, aber die Netze müssen noch vor Einbruch der Dunkelheit entwirrt werden. Salinas (Guayas)
Fishing has finished, but the fishnet must be disentangled before dawn. Salinas (Guayas)

Un surfista se atreve a desafiar las olas de Montañita (Guayas).
Ein Surfer wagt sich in die Nachmittagswellen von Montañita (Guayas).
A surfer dares to defy the waves of the dusk. Montañita (Guayas)

La luna ilumina la ciudad de Salinas y su silueta reflejada en el Océano Pacífico.
Der Mond erleuchtet die Stadt Salinas und zeigt ihre Silhouette im Pazifik.
The moon alights the city of Salinas and reflects its silhouette in the Pacific Ocean.

UN EJEMPLO A SEGUIR

Guayaquil, la "Perla del Pacífico", es la ciudad más pujante del Ecuador. La eficiente labor de sus alcaldes ha convertido a Guayaquil en los últimos 10 años en una ciudad moderna, perfectamente iluminada durante las noches y con atractivos importantes como son el "Malecón 2000", el parque histórico, las iglesias y parques completamente renovados. En esta ciudad se encuentran las empresas más grandes del país, con la gran ventaja de tener uno de los puertos marítimos más importantes de América Latina. Guayaquil es considerada el motor de la economía nacional.

VORBILDLICH

Guayaquil, die „Perle des Pazifiks", ist die größte Stadt Ecuadors. Die effiziente Arbeit mehrerer Oberbürgermeister hat Guayaquil in den letzten 10 Jahren zu einer modernen Großstadt gemacht, die nachts hell erleuchtet ist und mit dem attraktiven „Malecón 2000", der neuen Uferpromenade, aufwartet. Daneben laden den Besucher ein historischer Park, Kirchen und vollständig erneuerte Parkanlagen ein. Die größten Unternehmen des Landes befinden sich in dieser Stadt, die damit über den Vorteil verfügen, in unmittelbarer Nähe von einem der wichtigsten Häfen Südamerikas zu sein. Man sieht in Guayaquil den „Motor" der heimischen Volkswirtschaft.

AN EXAMPLE TO FOLLOW

The city of Guayaquil, the "Pearl of the Pacific", is the most thriving city of Ecuador. Efficient management by its mayors during the last 10 years has converted Guayaquil into a modern city, with bright illumination at night and important tourist attractions such as the "Malecon 2000", the historic park, and completely renovated churches and parks. The country's largest enterprises are found here, profiting from one of the most important seaports of Latin America. Guayaquil is considered to be the driving force of the country's economy.

La ciudad de Guayaquil y su producto estrella: el Malecón 2000 con sus 20 hectáreas.

Die Stadt Guayaquil und ihr Vorzeigeprojekt: der 20 Hektar große „Malecón 2000".

The city of Guayaquil with its token project: the "Malecón 2000" on 20 hectares.

La ciudad de Guayaquil con el río Guayas desde el barrio Las Peñas.

Blick auf die Stadt Guayaquil mit dem Fluss Guayas vom Quartier „Las Peñas" aus.

The city of Guayaquil with the Guayas river seen from the district "Las Peñas".

La "Perla del Pacífico" es el motor de la economía nacional.
Die „Perle des Pazifiks" ist der Wirtschaftsmotor der Nation.
The "Pearl of the Pacific"is the engine of the Ecuadorian economy.

La regeneración urbana de Guayaquil ha causado un impacto positivo en el orgullo de sus habitantes.
Die Modernisierung der Stadt Guayaquil hat sich positiv auf den Ehrgeiz der Einwohner ausgewirkt.
The urban modernization of Guayaquil has affected the pride of its inhabitants positively.

LA AMAZONÍA: EL PULMÓN DEL MUNDO

Esta región se caracteriza por presentar millares de colinas formadas por sedimentos volcánicos, entre las cuales se encuentran enormes llanuras aluviales de los afluentes del río Amazonas.
El descenso a la Amazonía desde la Sierra se caracteriza por presentar una topografía irregular, con pendientes largas y pronunciadas, de hasta 50 kilómetros de longitud, que dan paso a una región de tierras bajas (aproximadamente 300 m.s.n.m.).
La fantástica y exuberante vegetación en la zona de transición entre Sierra y Amazonía, en la que predominan árboles tropicales y en cuyas copas se incrustan una gran variedad de bromelias, alberga coloridos y prehistóricos insectos, anfibios, reptiles, pájaros y otros animales. Gigantes helechos, frondosas palmeras, árboles de chontaduro, ungurahuas, palmitos y chambiros, además de un sinnúmero de plantas con hojas enormes, revisten el paisaje de un verdor que impacta.
La gran cantidad de agua, producto de las constantes lluvias en esta zona de transición, recorre grandes distancias por riachuelos y cascadas, formando en las tierras bajas ríos caudalosos que descienden impetuosos buscando mayores afluentes hasta alcanzar el Océano Atlántico.

DAS AMAZONASGEBIET: DIE GRÜNE LUNGE DES PLANETEN

Dieses Gebiet ist durch das Vorhandensein tausender Hügel geprägt, die aus vulkanischen Ablagerungen geformt sind. Dazwischen dehnen sich weite Schwemmebenen, durchzogen von den Nebenflüssen des Amazonas, aus. Der Abstieg vom Gebirge zum Amazonasgebiet ist gekennzeichnet durch sein unregelmäßiges Relief mit weiten und markanten bis zu 50 km langen Gefällen, die schließlich tiefliegenden Regionen mit 300 m ü. M. Platz machen.
Die wundervolle, üppige Vegetation in der Übergangszone vom Gebirge zum Amazonas wird geprägt durch tropische Bäume, in deren Kronen eine große Anzahl an Bromelien zu finden sind. Sie bieten aber auch bunten, urzeitlichen Insekten, Amphibien, Reptilien, Vögeln und anderen Tieren ein Heim.
Gigantische Farngewächse, dicht gefiederte Palmen, darunter welche mit essbaren Früchten, Batauá- und Chambira-Palmen sowie eine Unmenge an Pflanzen mit riesigen Blättern säumen die Übergangslandschaft zwischen Gebirge und Amazonasgebiet und bilden ein beeindruckendes grünes Pflanzenmeer.
Die ständigen Regenfälle in dieser Zone wachsen zu wilden Bächen und Wasserfällen an, legen riesige Distanzen zurück und vereinigen sich schließlich zu wasserreichen Flüssen in den Ebenen. Auf der Suche nach noch größeren Flüssen wälzen sich diese weiter in die Tiefebene, bis sie schließlich in den Atlantischen Ozean münden.

THE AMAZONIC REGION: THE LUNGS OF THE WORLD

This region is characterized by thousands of small hills composed of volcanic sediments among which lie the broad and humid plains of the Amazon River tributaries. The descent from the highlands to the Amazonian basin is marked by irregular and steep slopes that spread over 50 km until reaching the lowlands on 300 m.a.s.l.
The fantastically lush vegetation between the Sierra and the Amazonian region is mainly formed by tropical trees covered with bromelias. This region hosts colorful, prehistoric insects, amphibians, reptiles, birds, and other animals. Giant ferns, lush palm trees, "chontaduro", "ungurahua", "palmito" and "chambiro" trees, as well as countless plants with gigantic leaves form an ocean of greenery.
Constant rainfalls in this zone provide streams and waterfalls with abundant supply of water, which later run along huge distances until they join rivers in the lowlands. In search of even greater amounts of waters these rivers flow lower and lower until they finally reach the Amazon River and thus the Atlantic Ocean.

El roedor más grande del mundo, una capibara (Hydrochaeris hydrochaeris), muestra orgullosa su perfecta dentadura. Puyo (Pastaza)

Das größte Nagetier der Welt, ein Wasserschwein oder Capibara (Hydrochaerus hydrochaeris), zeigt stolz seine perfekten Schneidezähne.

The largest rodent of the world, a capybara (Hydrochaerus hydrochaeris) or giant water guinea pig, proudly showing its perfect set of teeth. Puyo (Pastaza)

Entre puentes colgantes y una tupida vegetación, la cascada del Pailón del Diablo lanza su caudal al río Pastaza.
Zwischen Hängebrücken und einer dichten Vegetation stürzt tosend der Wasserfall Pailón del Diablo (Teufelskessel) in den Fluss Pastaza.
Between hanging bridges and lush vegetation the waterfall Pailón del Diablo (devil's pot) cascades into the river Pastaza.

El agua se abre paso por donde el terreno lo permita, formando meandros con las más diversas formas geométricas.

Das Wasser bahnt sich seinen Weg durch die Landschaft. Dabei bilden sich Windungen mit den verschiedensten geometrischen Formen.

The water finds its way through the landscape, forming meanders with diverse geometric shapes.

En un ensordecedor murmullo de insectos selváticos, la frescura de la noche se va apoderando de la "Amazaranga" (selva).
Mit dem ohrenbetäubenden Gezeter der Insekten kehrt die Nacht in den kühl werdenden „Amazaranga" (Urwald) ein.
With the deafening sound of forest insects, the cool night falls down on the "Amazaranga" (jungle).

Una tormenta de proporciones desconocidas se avecina sobre el río Napo. Cerca de Ahuano (Napo)
Ein gewaltiges Urwaldgewitter zieht über dem Fluss Napo in der Nähe von Ahuano auf.
A storm of unknown proportions approaching the Napo river. Near Ahuano (Napo)

EL PROFUNDO RESPETO A LA NATURALEZA

En la cosmovisión indígena de la Amazonía, el ser humano es parte de la "Amazaranga" (selva) y el espíritu humano deambula en esta selva en los atardeceres, pudiendo convertirse en un águila, serpiente o jaguar, dependiendo de la simbología de sus creencias. La selva tropical les provee de alimentos, plantas medicinales y de riqueza espiritual, lo que la convierte en su supermercado, su farmacia y su iglesia. De allí viene el profundo respeto que los indígenas tienen a su selva, hecho que se hace evidente cuando la tienen que defender de colonos depredadores de bosques, de empresas transnacionales que explotan el petróleo causando contaminación o de inescrupulosos traficantes de animales, a los cuáles se les priva de la libertad sin pensar en las consecuencias que esto causa en las pirámides ecológicas.
A pesar de que para cualquier economista moderno los nativos de la Amazonía son pobres, su admirable riqueza espiritual, la unión familiar por la convivencia de muchas generaciones bajo el mismo techo y su filosofía ancestral de aprovechar de la selva solo lo necesario para su sobrevivencia, les convierte en seres prodigiosos y de valores profundos.

DIE TIEFE ACHTUNG VOR DER NATUR

Die Ureinwohner des Amazonasgebiets glauben, dass der Mensch Teil des „Amazaranga" (des Dschungels) ist und dass der menschliche Geist des Abends durch diesen Dschungel wandert und sich in einen Adler, eine Schlange oder einen Jaguar verwandelt, je nachdem, welche Glaubenssymbole er hat.
Der tropische Wald versorgt die Ureinwohner mit Nahrung, Heilpflanzen und spirituellem Reichtum und ist so Supermarkt, Apotheke und Kirche in einem. Das erklärt den tiefen Respekt dieser Menschen gegenüber ihrem Lebensraum. Außenstehenden wird das erst sichtbar, wenn sie ihn verteidigen: gegen Bauern, die ihren Wald plündern wollen, gegen internationale Firmen, die nach Erdöl bohren und nichts als Verschmutzung zurücklassen, aber auch gegen skrupellose Tierhändler, die Tiere einfangen, ungeachtet der Folgen, die dadurch in der Nahrungskette entstehen.
In der Meinung moderner Wirtschaftsexperten sind die Ureinwohner des Amazonas arm, aber im spirituellen Sinn sind sie reich. Ihr Familiensinn ist stark ausgeprägt, was durch das Zusammenleben mehrerer Generationen unter einem Dach entsteht, und die Philosophie ihrer Vorfahren, die angibt, nur das fürs Überleben Notwendigste vom Dschungel zu nehmen, macht sie zu besonderen Menschen mit tief verankerten Werten.

DEEP RESPECT FOR NATURE

Amazonic indigenous people believe that humans are a part of the "Amazaranga" (forest) and that the human spirit wanders around the forests at sunset, capable of converting into an eagle, a snake or a jaguar, depending on the symbols of their beliefs. The tropical rainforest provides them with food, medicinal herbs, and spiritual richness thus being their supermarket, their pharmacy, and their church. This is the origin of the deep respect that the indigenous people feel for their forest, evident in their efforts to defend it from invading predators, such as the exploitation of international oil companies and their pollution, or reckless animal traders and their complete disconcert for the ecological imbalance they cause by depriving creatures from their freedom.
According to modern day economists the Amazonian natives are considered poor. However, their admirable spiritual richness, their family unity, emphasized by the coexistence of several generations under one roof and their ancestral philosophy which makes them only take from the rainforest what is necessary for survival, makes them marvelous beings with profound and solid values.

Muchas de las bromelias de la Amazonía cambian de color y anuncian su próximo florecimiento.

Viele Bromelienarten des Dschungels wechseln kurz vor der Blütezeit ihre Farben.

Many bromeliads of the Amazonia change their color shortly before their blossoming

Bellos ejemplares de pájaros silvestres de la Amazonía ecuatoriana, como este guacamayo, son traficados por personas inescrupulosas.

Farbenfrohe Papageien des ecuadorianischen Amazonasgebietes wie dieser rote Ara werden von skrupellosen Menschen gefangen und verkauft.

Colorful parrots such as this macaw are traded by unscrupulous humans.

Estos loros enamorados de cabeza amarilla (Amazona ochrocephala) de la Amazonía se han jurado amor eterno. Francisco de Orellana, Coca
Dieses flirtende Papageienpaar (Amazona ochrocephala) hat sich ewige Liebe geschworen. Francisco de Orellana (Coca)
These flirting Amazonian parrots (Amazona ochrocephala) have sworn eternal love to each other. Francisco de Orellana, Coca

Esta colorida ara (Ara chloptera) disfruta de uno de los manjares de la Selva.

Dieser prachtvolle Ara (Ara chloptera) genießt einen Leckerbissen aus dem Urwald.

This gorgeous macaw (Ara chloptera) is enjoying a delicacy of the jungle.

El tucán de la Amazonía (Rhamphastos cuveri), el más grande de su especie, muestra beligerante su fina lengua de sable.
Der Urwaldtukan (Rhamphastos cuveri) ist der größte seiner Spezies. Hier zeigt er auf bedrohliche Art und Weise seine feine Zunge.
The Amazonian toucan (Rhamphastos cuveri), largest of its kind, shows its fine tongue menacingly.

Este mono aullador (Alouatta seniculus) descansa al borde del río Napo.
Dieser Brüllaffe (Alouatta seniculus) ruht sich am Ufer des Flusses Napo aus.
This howling monkey (Alouatta seniculus) relaxes at the shore of the Napo river.

Los simpáticos monos barizo (Saimiri sciureus) son posiblemente los más ágiles, traviesos y listos entre sus similares.

Die sympathischen Totenkopfäffchen (Saimiri sciureus) gehören wohl zu den wendigsten, schalkhaftesten und geschicktesten unter ihren Artgenossen.

These likable squirrl monkeys (Saimiri sciureus) are known to be the most agile, skillful and at the same time naughtiest of their kind.

Un joven tigrillo espera la noche para acechar una presa.

Ein junger Ozelot wartet auf die Nacht, um auf Beutefang zu gehen.

A young ocelot awaiting the night to hunt for prey.

PROTEJAMOS A LOS HIJOS DE DIOS ...

En las tierras bajas, los meandros que forman los ríos penetran raudos hacia las entrañas del bosque tropical, arrasando con todo obstáculo natural. En este paraíso terrenal, que alberga toda clase de animales, las petroleras han encontrado el "oro negro", sustento de la economía ecuatoriana y la materia prima más importante de las civilizaciones desarrolladas. Lamentablemente, su extracción conlleva a una serie de problemas que influyen negativamente sobre este "gran bosque", pulmón mundial que ya tiene signos de haber generado un cáncer. La protección de la Selva, al declarar algunas regiones "Parques Nacionales" o regiones intangibles, nos da la esperanza de que al enfermo se le pueda salvar. En ellas viven aún etnias, los "Taromenane" y los "Tagaeri", que no han tenido contacto alguno con la civilización, viven como Dios los mandó al mundo y no conocen las comodidades de la civilización moderna. En algún momento la modernidad les atropellará con fuerza, pero afortunadamente este hecho todavía no se ha dado.

BESCHÜTZEN WIR DIE KINDER GOTTES ...

In den Tiefebenen dringen die Flussläufe ungestüm ins Innere des Waldes vor, wobei sie alle natürlichen Hindernisse überwinden. In diesem irdischen Paradies, welches unzählige Arten von Tieren beherbergt, entdeckten die Erdölfirmen jedoch das „schwarze Gold", lebensnotwendig für die ecuadorianische Wirtschaft und wichtigster Rohstoff für die Industriestaaten. Aber seine Förderung bringt eine Reihe von Problemen mit sich, die sich negativ auf den „großen Wald", die grüne Lunge der Erde, auswirken und die auch schon erste Anzeichen einer schweren „Krebserkrankung" aufweist. Der Schutz des Dschungels durch die Schaffung von Nationalparks und gesperrten Regionen für Nicht-Einwohner gibt uns die vage Hoffnung, den erkrankten Wald doch noch retten zu können.
In diesen Gebieten leben noch ethnische Gruppen, wie die „Taromenare" oder die „Tagaeri", die bis heute keinen Kontakt zur Außenwelt hatten. Sie leben so, wie Gott sie geschaffen hat, und kennen nicht die Annehmlichkeiten der modernen Zivilisation. Irgendwann wird die Modernisierung wohl über sie hereinstürzen, aber glücklicherweise ist dieser Moment noch nicht gekommen.

LET'S PROTECT GOD'S CHILDREN

In the lowlands rivers swiftly penetrate into the heart of the tropical rainforest overcoming every possible natural obstacle. In this earthly paradise hosting all kinds of animals, oil companies have discovered the "black gold", the main economic support of the Ecuadorian economy and the most important raw material of the developed world. Unfortunately, its extraction causes a series of problems that negatively affect this "great forest", the world's lung which has already shown symptoms of cancer. The protection of the forest through the declaration of some areas as national parks or "intangible zones" provides some hope that the forest may be saved. In these areas exist some ethnic groups – the "Taromenane" and the "Tagaeri" – who haven't had any contact with civilization yet. They live as God send them into this world, without any knowledge of the comforts of modern civilization. One day modernity will run into them, but luckily this has not yet happened.

Este es Omayebe, indígena huaorani, hijo de Dios y de la Selva.
Das ist Omayebe, ein Huaorani-Indio, ein Sohn Gottes und des Urwaldes.
This is Omayebe, an indigenous of the Huaorani, son of God and the jungle

¿ESTUVO DIOS EN LAS ISLAS GALAPAGOS?

A solo 1000 kilómetros de las costas ecuatorianas se encuentra un mundo diferente, inspiración de Dios y legado para la humanidad: el Archipiélago de Galápagos. Se formó hace 3 millones de años, está formado por 13 islas, 17 islotes y 47 rocas, tiene 8.010 km^2 de extensión y una población de algo más de 12.000 habitantes.
Las Islas Galápagos fueron descubiertas casualmente por Tomás de Berlanga en 1535, durante un viaje de Panamá a Perú. Trescientos años más tarde, Charles Darwin, el padre de la Teoría de la Evolución, llegó a las islas sin saber que su gran don de observación lo llevaría a establecer una teoría que revolucionaría el mundo, cristiano y científico. Las Islas Galápagos fueron utilizadas por piratas y bandidos como refugio. Hacia el año de 1832, el Ecuador se posesionó de las islas, pero recién en 1968 se constituyeron en "Parque Nacional Galápagos" y se funda la Estación científica "Charles Darwin", una entidad que protege las islas de la depredación del hombre. Las Naciones Unidas declararon a estas islas Patrimonio Natural de la Humanidad y desde entonces miles de turistas visitan las islas para observar un fenómeno único en el mundo: ¡Aquí los animales no tienen miedo del hombre!

WAR GOTT AUF DEN GALAPAGOS-INSELN?

Nur 1000 km von der ecuadorianischen Küste entfernt, trifft man auf eine völlig andere Welt, die wohl ein glücklicher göttlicher Einfall war und ein Vermächtnis für die Zivilisation ist: die Galapagos-Inseln. Diese entstanden vor drei Millionen Jahren und bestehen aus 13 größeren Inseln, 17 Eilanden und 47 Felsen. Der Archipel erstreckt sich über 8.010 km^2 und wird von ca. 12.000 Menschen bewohnt.
Die Galapagos-Inseln wurden zufällig von Tomás de Berlanga im Jahre 1535 während seiner Schiffsreise von Panamá nach Perú entdeckt. Charles Darwin, der Vater der Evolutionstheorie, traf 300 Jahre später dort ein, ohne zu ahnen, dass seine Beobachtungsgabe ihn zur Entwicklung einer Theorie führen würde, die die christliche und wissenschaftliche Welt revolutionieren sollte. Die Galapagos-Inseln wurden aber auch von Piraten und Banditen als Zufluchtsort genutzt.
Gegen 1832 gingen die Inseln in ecuadorianischen Besitz über, jedoch erst im Jahre 1968 wurden sie zum Nationalpark erklärt. Zur gleichen Zeit wurde die Charles Darwin Station gegründet, deren Aufgabe es ist, die Inseln vor der Plünderung durch den Menschen zu schützen. Die UNO erklärte die Inseln ebenfalls zum Weltnaturerbe und seither strömen Zehntausende Touristen dorthin, um ein auf der Welt einzigartiges Phänomen zu beobachten: Hier haben die Tiere keine Scheu vor Menschen!

HAS GOD VISITED THE GALAPAGOS ISLANDS?

Only 1,000 km from the Ecuadorian mainland exists a completely different world, through God's inspiration a legacy to mankind: the Galapagos Islands, an enchanted archipelago. It was formed some 3 million years ago and is composed of 13 islands, 17 islets and 47 rocks, spread out over 8,010 square kilometers and home to about 12,000 inhabitants.
By coincidence the Galapagos Islands were discovered by Tomas de Berlanga in the year 1535 during a trip from Panama to Peru. Three hundred years later, Charles Darwin, the father of the theory of evolution of species, arrived on the islands. Little did he suspect that his superb observation ability would lead him to create a theory, which would revolutionize both the Christian and the scientific community. The Galapagos Islands were used by pirates and bandits as a refuge. Ecuador took possession of the islands in 1832. It wasn't until 1968 that they were declared "Galapagos National Park" and the Charles Darwin scientific station was founded as an entity protecting the islands from man's predatory actions. The United Nations declared the islands as "Natural Heritage to mankind" and since then thousands of tourists have visited the islands to witness a unique phenomenon in the world: here animals don't fear man!

Este paisaje en la Isla Bartolomé es posiblemente el paisaje más fotografiado de las Islas Galápagos.

Dieser Landschaftsteil der Insel Bartolomé mit der Felszinne ist höchstwahrscheinlich das meistfotografierte Motiv der Galapagos-Inseln.

The Pinnacle rock of Bartolomé Island is likely to be the most photographed landscape of the Galapagos Islands.

Este relajado lobo marino disfruta de las aguas transparentes de las Islas Galápagos.

Dieser Seelöwe genießt entspannt das transparente Wasser der Galápagos-Inseln.

This relaxed sea lion is enjoying the transparent waters of the Galapagos Islands.

Los flamingos (Phoenicopterus ruber) encuentran abundante comida en las lagunas de las Islas Galápagos.
Die Flamingos (Phoenicopterus ruber) finden reichlich Nahrung in den Lagunen der Galapagos-Inseln.
Flamingos (Phoenicopterus ruber) find abundant food in the lagoons of the Galapagos Islands.

Con el pecho inflado y casi por explotar, este fragata macho (Fregata magnificens) está seguro de conquistar a una hembra en celo.
Dieser männliche Fregattvogel (Fregata magnificens) mit seinem aufgeblasenen, knallroten Kehlsack ist völlig davon überzeugt, bald ein paarungswilliges Weibchen zu finden.
This male frigate bird (Fregata magnificens), with its bright red inflated breast, is convinced to conquer a female.

Este lobo marino (Zalophus californianus wollebaeki) duerme su siesta al borde del mar. Plazas Sur, Islas Galápagos
Dieser Seelöwe (Zalophus californianus wollebaeki) macht ein Nickerchen am Meeresufer. Plazas Süd, Galapagos-Inseln
This sea lion (Zalophus californianus wollebaeki) is having a nap on the beach. Plazas South, Galapagos

Puerto Villamil, en la Isla Isabela es el último lugar habitado del Ecuador en dirección oeste.

Puerto Villamil auf der Galapagos-Insel Isabela ist die westlichste Siedlung Ecuadors.

Puerto Villamil on the Island of Isabela in the Galapagos is the westernmost hamlet of Ecuador.

LA FRAGILIDAD DE LAS ISLAS

La especie más emblemática de las islas es la tortuga gigante o galápago (Geochelone elephantopus). Estos inofensivos animales de hasta 700 kilogramos y un metro de diámetro fueron diezmados en el pasado por piratas y pescadores, y su número alcanza hoy quizás los 15.000 ejemplares. Viven en los cráteres de los volcanes o en sus propias galapagueras. La Estación Científica "Charles Darwin" ha logrado salvar a diferentes especies que habrían desaparecido de la faz de nuestro planeta por la introducción – accidental o a propósito – de animales del continente. Un ejemplo dramático es el caso de las especies de tortugas de la isla Pinzón. Por mucho tiempo se pensó que las tortugas de Pinzón se habían extinguido, hasta que en los años 60 varios científicos hallaron algunas sobrevivientes. Con sorpresa pudieron establecer que las tortugas más jóvenes tenían más de 50 años, a pesar de que las tortugas hembras ponían cuidadosamente sus huevos, año tras año, en los lugares soleados de la isla y a profundidades que garantizaran la reproducción de estos quelonios. Las investigaciones mostraron con claridad que las ratas introducidas desde el continente utilizaban a las pequeñas tortugas como víctimas de su voraz apetito. Desde 1965, los huevos son transportados desde la isla Pinzón hasta la Estación "Charles Darwin", lugar en el cual se les brinda seguridad. Al cumplir 4 años y una vez que las ratas no representan peligro alguno, las tortugas son devueltas a su isla originaria.

Otras especies de galápago, en cambio, tienen sus días contados. Éste es el caso de "Lonely George", una tortuga que vive en la Estación Científica "Charles Darwin" y de cuya especie no se ha encontrado una hembra reproductora que pudiera salvar a esta especie de la desaparición definitiva.

DIE ZERBRECHLICHKEIT DES ÖKOSYSTEMS AUF DEN INSELN

Die wohl bekannteste und typischste Spezies auf den Inseln ist die Riesen- oder Galapagos-Schildkröte (Geochelone elephantopus). Die Angehörigen dieser harmlosen Art sind Tiere, die bis zu 700 kg wiegen und einen Meter Durchmesser erreichen können. Sie wurden in der Vergangenheit immer wieder Opfer von Piraten und Fischern, so dass man heute gerade noch 15.000 Exemplare zählt. Sie leben in den Vulkankratern oder in ihren eigenen Unterschlüpfen. Die Charles Darwin Station hat es geschafft, verschiedene Spezies zu retten, die durch die absichtliche oder ungewollte Einführung von auf dem Kontinent heimischen Tierarten von der Erdoberfläche verschwunden wären. Ein eindrückliches Beispiel ist das der Schildkröten auf der Insel Pinzón. Lange Zeit dachten die Wissenschaftler, die Schildkröten wären ausgestorben, bis man in den 60-er Jahren einige lebende Exemplare dieser Spezies entdeckte. Mit großer Überraschung stellte man fest, dass die jüngsten Schildkröten schon über 50 Jahre alt waren, obwohl die Weibchen jedes Jahr vorsichtig ihre Eier an sonnigen und tiefen Stellen der Insel vergruben, was ihre regelmäßige Reproduktion hätte garantieren müssen. Nachforschungen ergaben, dass die vom Festland eingeschleppten Ratten ihren unersättlichen Appetit an den Baby-Schildkröten stillten. Seit 1965 werden die Eier nun von der Insel Pinzón zur Charles Darwin Station gebracht, wo sie vor Ratten sicher sind. Nach vier Jahren, wenn die Schildkröten außer Gefahr sind, werden sie zu ihrer Heimatinsel zurückgebracht. Die Tage anderer Arten der Galapagos-Schildkröte sind jedoch gezählt. Das ist zum Beispiel bei „Lonesome George" der Fall, einer Schildkröte, die in der Charles Darwin Station lebt. Bisher konnte kein fruchtbares Weibchen gefunden werden, welches diese Spezies vor dem endgültigen Aussterben retten könnte.

THE ISLAND'S FRAGILITY

The most representative species of the islands is the giant turtle or galapago (Geochelone elephantopus). These harmless animals, that weigh up to 700 kilograms and reach a diameter of one meter, were decimated in the past by pirates and fishermen, so that today only 15,000 may be counted. They live in volcano craters or in their own hiding places ("galapagueras"). The Charles Darwin scientific station has succeeded in saving several species from disappearing from the Earth's surface. These were endangered mainly because of the accidental or deliberate introduction to the island of domestic animals from the mainland. A dramatic case is that of the turtles on Pinzon (Duncan) Island. For years it was thought that Duncan's turtles were extinct, until the 60's, when several scientists found some survivors. Surprisingly, they found that the youngest turtles were more than 50 years old even though the females had been hatching their eggs carefully every year, burying them in sunny places on the island and at depths that should have guaranteed their reproduction. But investigations showed that the young turtles had become victims of rats. Since 1965, the eggs have been transported from Duncan Island to the Charles Darwin station, where they are kept safely until the small turtles are 4 years old. At that age rats no longer represent a threat to their lives, and they then can be brought back to their native island.

Other species of the Galapagos, on the other hand, have their days counted. This is the case of "lonely George", a turtle, living in the Charles Darwin scientific station, that belongs to a species for which no female has been found to save its kind from definite extinction.

La inofensiva tortuga galápago abre sus amenazantes fauces para conseguir algún manjar de un espinoso arbusto.
Die friedliche Galapagos-Schildkröte öffnet ihren Schlund, um einen Leckerbissen von einem stachligen Strauch zu ergattern.
This peaceful Galapagos turtle opens its menacing mouth to reach for a delicacy from a thorny bush.

Esta enorme tortuga galápago (Geochelone elephantopus) ha tenido posiblemente vivencias de tres siglos. El Chato en la Isla Santa Cruz, Galápagos
Diese Riesenschildkröte (Geochelone elephantopus) aus El Chato (Santa Cruz, Galapagos-Inseln) hat mit größter Wahrscheinlichkeit in drei Jahrhunderten gelebt.
This giant turtle (Geochelone elephantopus) from El Chato (Santa Cruz, Galapagos islands) most probably has lived within the last three centuries.

¿EVOLUCIÓN O LA MANO DE DIOS?

Lo que Darwin pudo observar en estas islas encantadas superó la interpretación conservadora de los científicos de ese entonces. Darwin observó en este laboratorio de la evolución una gran cantidad de ejemplos que le llevaron a concluir que las especies siguen un proceso de evolución de acuerdo al medio en el que se establecen. Así, en muchos milenios, los caparazones de las tortugas galápago se transformaron para permitirles alimentarse de la escasa vegetación en tiempos de sequía, los cormoranes perdieron su habilidad de volar al no encontrar depredadores que les amenacen y los picos de los pinzones cambiaron su fisonomía y el largo dependiendo en qué isla se encontraban para buscar su alimentación.
No solo las especies de las islas siguen un proceso evolutivo. Las islas, en especial la Fernandina y la Isabela, continúan cambiando año tras año; los volcanes emergen de las profundidades submarinas y otros se apagan, colapsan y vuelven a desaparecer. Posiblemente, tanto la evolución como la mano de Dios han creado los argumentos suficientes para hacer de estas islas una de las maravillas de nuestro planeta.

EVOLUTION ODER GOTTES FÜHRUNG?

Die Beobachtungen, die Charles Darwin auf jenen verzauberten Inseln machte, konnten sogar die konservativen Wissenschaftler seiner Zeit überzeugen.
Darwin beobachtete in diesem Versuchslabor der Evolution viele Fälle, aus denen er folgerte, dass die verschiedenen Arten sich weiterentwickeln, je nachdem in welcher Umgebung sie sich niederlassen. Das ging so weit, dass die Schildkrötenpanzer sich veränderten, wenn die Galapagos-Schildkröten in Zeiten der Trockenheit nur an hochgelegenen Stellen spärliche Nahrung fanden. Kormorane verloren ihre Flugfähigkeit, wenn sie nicht mehr durch Raubtiere bedroht wurden, und die Schnäbel der Finken veränderten ihr Aussehen und ihre Länge je nach dem Nahrungsangebot der Insel, auf der sie sich befanden.
Jedoch nicht nur die verschiedenen Tierarten der Inseln folgen einem Evolutionsprozess. Auch die Inseln, insbesondere Fernandina und Isabela, verändern sich von Jahr zu Jahr. Vulkane tauchen aus den Tiefen des Ozeans auf, andere erlöschen, brechen zusammen und verschwinden wieder. Vielleicht sind sowohl die Evolution als auch der Wille Gottes als Argumente ausreichend, um aus jenen Inseln eines der großen Wunder unseres Planeten zu machen.

EVOLUTION OR GOD'S HAND ?

What Darwin observed on these enchanted islands defied the conservative scientific knowledge of his time. In this giant laboratory of evolution, Darwin identified a great number of cases that led him to conclude that species follow the evolutionary process according to the environment in which they live. For example, in the course of thousands of years the shells of the galapago tortoises were transformed to allow them to feed on sparse vegetation during dry seasons, the cormorants lost their ability to fly as they faced no predators, and the beaks of the Darwin finches changed their form and length depending on the island and its food.
Animal species are not the only ones that follow the evolutionary process: the islands, especially Fernandina and Isabela, are constantly changing; some volcanoes emerge from the depths of the ocean while others become extinct, collapse, and disappear. Possibly, both evolution and God's hand have created enough arguments that make these islands one of the marvels of our planet.

Durante el tiempo de apareamiento, las iguanas marinas de Galápagos tienen un comportamiento amenazante para imponerse a sus oponentes en la conquista de las hembras.

Während der Paarungszeit zeigen die Meeresleguane Drohgebärden, um ihre Gegner auszutricksen.

Marine iguanas show a threatening behavior during their reproduction in order to dominate their opponents.

Este ser prehistórico, una iguana marina (Amblyrhynchus cristatus), es un ilustre morador de las Islas Galápagos.

Dieses prähistorische Tier, ein Meeresleguan (Amblyrhynchus cristatus), ist ein berühmter Bewohner der Galápagos-Inseln.

The antediluvian marine iguana (Amblyrhynchus cristatus) is a famous inhabitant of the Galapagos Islands.

La fisonomía de las Islas Galápagos se encuentra aún en constante cambio debido a las repetidas erupciones volcánicas.

Durch die Vulkanaktivität erfahren die Galpagos-Inseln eine ständige Veränderung ihres Aussehens.

The Islands of Galapagos permanently change their look due to the volcanic activity.

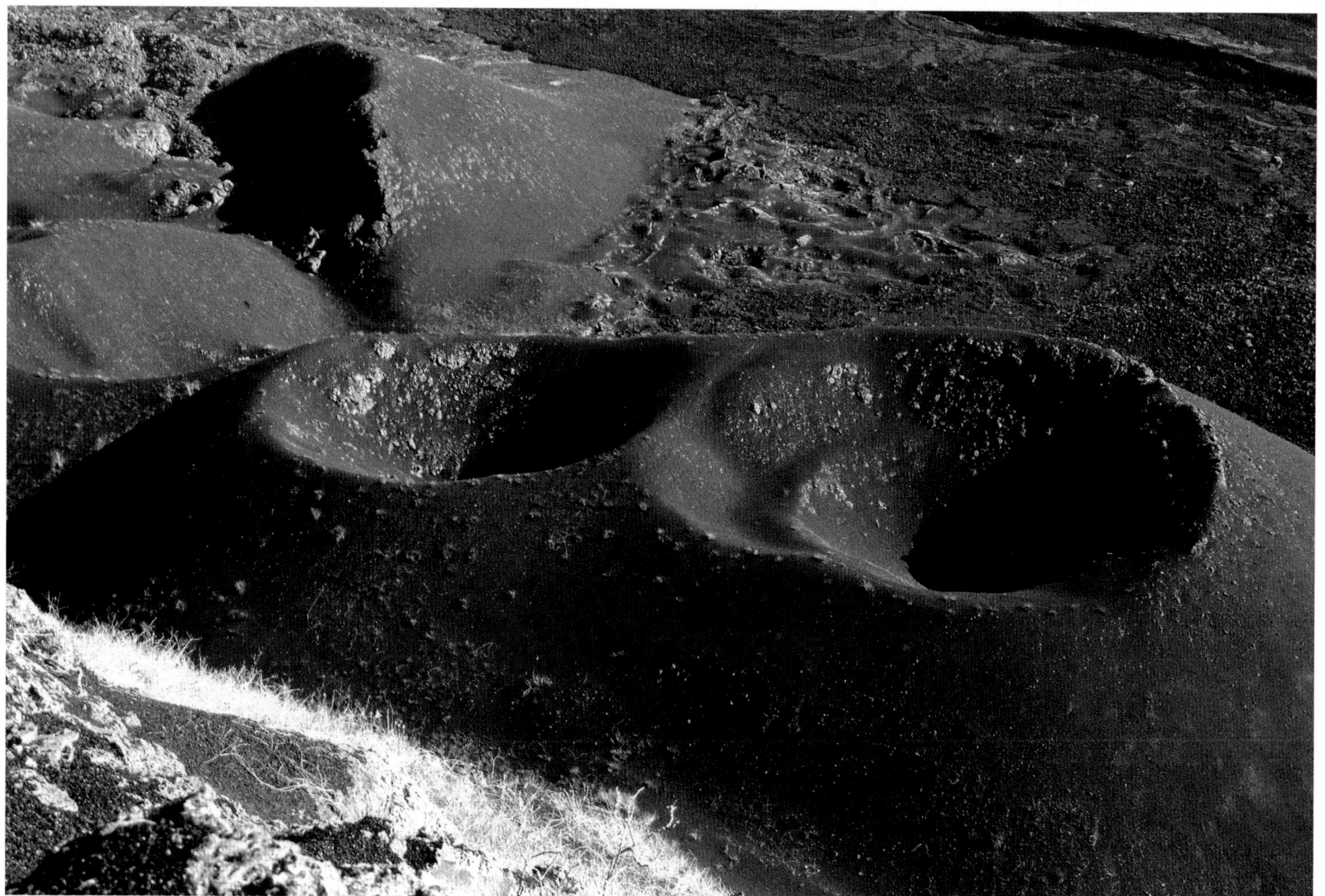

Miles de cráteres de volcanes son testigos de la incansable actividad volcánica en las Islas Galápagos.

Tausende Vulkankrater sind Zeugen der unermüdlichen Vulkanaktivität auf den Galapagos-Inseln.

Thousands of craters are testimony to the continuous volcanic activity on the Galapagos Islands.

SOBRE EL AUTOR

Alois Speck Ferber nació el 8 de abril de 1962 en Guayaquil (Ecuador), siendo el primogénito de una familia de tres hijos. A los 5 años partió con su familia a Suiza. Las experiencias de la estadía de dos años cimentarían su relación con el viejo continente.

Estudió en el Colegio Alemán Humboldt de Guayaquil, en donde se gradúa como bachiller en el año de 1980. Pocos meses antes de cumplir los 18 años, partió a Suiza para realizar sus estudios superiores. Es en esta época cuando despierta su interés por la fotografía gracias a su padre, que le obsequia su primera cámara fotográfica, una Frischknecht AR. Diversos cursos y capacitaciones resultan en el aprendizaje de las técnicas fotográficas y en el entrenamiento de su "ojo fotográfico".

Luego de revalidar el bachillerato suizo y aprender francés, ingresa a la Escuela Federal Politécnica de Zürich (ETH Zürich) en el año de 1982, graduándose de Ingeniero de Alimentos en 1989. Se casó con Paula Schmid Weinehl en 1988 y tiene tres hijos: Philipp (1990), Nicole (1993) y Michelle (1996).

Trabajó en Nestlé R&D Center Quito hasta 1998 trabaja en como Project Manager y luego se independizó. Ha lanzado diversos productos al mercado: postales, calendarios, juegos de memoria y posters. Ha realizado exposiciones fotográficas y ha ofrecido su material fotográfico a diversas empresas con fines publicitarios. Organiza Safaris fotográficos para turistas nacionales y extranjeros. Actualmente vive en Cumbayá (Quito).

ÜBER DEN AUTOR:

Alois Speck Ferber wurde am 8. April 1962 als ältester von 3 Brüdern in Guayaquil, Ecuador, geboren. Mit 5 Jahren zog er mit seiner Familie für zwei Jahre in die Schweiz und seine Erfahrungen während dieses Lebensabschnitts prägten seine Beziehung zum „Alten Kontinent".

Er besuchte die Deutsche Humboldt-Schule in Guayaquil, die er im Jahre 1980 mit dem Abitur abschloss. Kurz vor Vollendung des 18. Lebensjahres ging er zum Studium in die Schweiz. Hier begann sein Interesse für die Fotografie dank seines Vaters, der ihm seine erste Kamera, eine Frischknecht AR, überließ. In mehreren Seminaren und Fortbildungen erlernte er das fotografische Handwerk und trainierte sein „fotografisches Auge". Nachdem er die Matur, das Schweizer Abitur, abgelegt und Französisch erlernt hatte, immatrikulierte er sich 1982 an der Eidgenössischen Technischen Hochschule (ETH) Zürich. Im Jahre 1989 schloss er sein Studium als diplomierter Lebensmittelingenieur ab. Er ist mit Paula Schmid Weinehl seit 1988 verheiratet und hat 3 Kinder: Philipp (1990), Nicole (1993) und Michelle(1996).

Bis zum Jahre 1998 arbeitete er für den Nestlé-Konzern als Projektmanager und machte sich dann selbstständig. Er veröffentlichte als Herausgeber Postkarten, verschiedene Jahreskalender, Memory-Spiele und Plakate. Seine Fotos waren verschiedentlich ausgestellt und standen mehreren Unternehmen für Veröffentlichungszwecke zur Verfügung. Er veranstaltet Fotosafaris für in- und ausländische Touristen und lebt z. Zt. in Cumbayá bei Quito.

ABOUT THE AUTHOR

Alois Speck Ferber was born on the 8th of April, 1962, in Guayaquil, Ecuador, being the first of three sons. At the age of 5 he moved to Switzerland with his family. His experiences during a 2-year stay there set the foundations for a deep relation with the old continent.

He studied in the Colegio Alemán Humboldt (German school) of Guayaquil, graduating from it in 1980. A few months before he was 18 years old, he traveled to Switzerland to follow undergraduate studies. During that time his passion for photography was awakened and then encouraged by his father, who gave him his first camera, a Frischknecht AR. In several seminars and courses he learned photographical techniques and thus perfected his "photographic eye".

After passing the Swiss Matura and having learned French, he entered the Zürich Federal Polytechnic School (ETH Zürich) in 1982, graduating as Food Engineer in 1989. He married Paula Schmid Weinehl in 1988 and has three children: Philipp (1990), Nicole (1993), and Michelle (1996).

He worked until 1998 in Nestlé R&D Center in Quito as Project Manager and then became independent as photographer. He published several products such as post cards, calendars, memory games, and posters, and has displayed his works at several photographical exibitions; he has also contributed photographical material to different companies for publicity purposes. He organizes photo-safaris for Ecuadorian and foreign tourists. He currently lives in Cumbayá (Quito).

Alois Speck Ferber 2006 (apspeck@pi.pro.ec)
Fotografía y texto original en español: Alois Speck Ferber,
Corrección del texto en español: Luis Beckmann
Traducción al alemán: Michael Macher y Paula Schmid
Traducción al Inglés: Dr. Theofilos Toulkeridis, Ann Büchel y Saskia Geerdts (contraportada)
Corrección del texto en inglés: Frank Forster
Escaneo, diseño y diagramación: Patricio Hidalgo, Hojas y Signos, Telf. 2443 121
Impresión: Ediecuatorial C.A.

Fotografie und Originaltext auf Spanisch: Alois Speck Ferber (apspeck@pi.pro.ec)
Korrektur Spanisch: Luis Beckmann
Übersetzung ins Deutsche: Michael Macher (mit M. Fleischhauer) und Paula Schmid W.
Übersetzung ins Englische: Dr. Theofilos Toulkeridis, Ann Büchel und Saskia Geerdts
Korrektur Englisch: Frank Forster
Einscannen und grafische Gestaltung: Patricio Hidalgo, Hojas y Signos, Telf. 2443 121
Druck: Ediecuatorial C.A.

Alois Speck Ferber 2006 (apspeck@pi.pro.ec)
Photography and Spanish original text: Alois Speck Ferber,
Correction of the Spanish text: Luis Beckmann
German translation: Michael Macher and Paula Schmid
English translation: Dr. Theofilos Toulkeridis, Ann Büchel and Saskia Geerdts
Correction of the English text: Frank Forster
Scanning and design: Patricio Hidalgo, Hojas y Signos, Telf. 2443 121
Print: Ediecuatorial C.A.

ISBN-10: ISBN-9978-45-070-X
ISBN-13: ISBN-978-9978-45-070-33